GPT로 완성하는 우리 아이 디지털 문해력

(Guidance Prevention Training Process) AI기반 엄마 표 미디어 교육법 GPT프로세스

박 소 라

GPT로 완성하는 우리 아이 디지털 문해력

발행 | 2024년 3월 30일
저자 | 박소라
디자인 | 어비, 미드저니
편집 | 어비
펴낸이 | 송태민
펴낸곳 | 열린 인공지능
등록 | 2023.03.09(제2023-16호)
주소 | 서울특별시 영등포구 영등포로 112
전화 | (0505)044-0088
이메일 | book@uhbee.net

ISBN | 979-11-93116-51-7

www.OpenAIBooks.shop

GPT로 완성하는
우리 아이 디지털 문해력

(Guidance Prevention Training Process)
AI기반 엄마 표 미디어 교육법 GPT프로세스

박 소 라

목차

3. 디지털 도파민 중독의 현황과 문제점

3.1 정의와 배경

3.1.1 디지털 도파민 중독의 특징과 현대인에게 나타나는 증상.

3.1.2 성장 중인 중독 문제의 규모와 영향

3.2 현대 사회에서의 중독 현상

3.2.1 다양한 연령층에서 나타나는 중독 증상

3.2.2 중독과 정신 건강 문제 간의 상호작용

3.3 어린이와 청소년의 중독 문제

3.3.1 보편화 된 디지털 기기 사용 문화 치명적인 영향으로 잔재한다.

3.3.2 가족 환경과 디지털 도파민 중독 발생 간의 비밀스러운 관계

4. 디지털 중독 예방을 위한 가이드라인

4.1 건강한 미디어 사용 습관

4.1.1 화면 시간 제한과 휴식의 중요성

4.1.2 우리집에 휴대폰 제한 장소 만들기

4.2 가정에서 미디어 교육의 역할

4.2.1 가족 소통과 함께하는 미디어 사용규칙

4.2.2 미디어 리터러시 홈 스쿨링 교육

머리말

GPT 프로세스

(**G**uidance **P**revention **T**raining Process)
챗GPT와 함께하는 대화형 디지털 문해력 교육

"디지털 문해력을 키우다: GPT 프로세스로 아이와 함께하는 엄마 표 미디어 리터러시 교육"

안녕하세요, 이 책은 디지털 시대에 살아가는 아이들을 위한 미디어 리터러시 교육에 초점을 맞춘 특별한 책입니다. GPT 프로세스를 활용한 대화형 교육으로, 부모님과 자녀가 함께 디지털 세계에서 안전하고 올바르게 길을 찾을 수 있도록 도와드리고자 쓰여졌습니다. 엄마 표 미디어 리터러시 교육이 가능한 방식에 대해 제안하고, 그로 인해 궁극적으로 얻게 되는 가치에 대해 강조하고자 합니다.

이 책에서는 챗GPT와 의 상호작용을 통해 어린이들이 미디어를 어떻게 이해하고 활용할 수 있는지에 대한 지침을 제공합니다. **Guidance**, **Prevention**, **Training** 의 세 가지 핵심 요소를 담은 GPT 프로세스를 통해 부모님들은 아이들의 디지털 문해력을 증진시키는 방법에 대해 자세히 알게 될 것입니다.

GPT 프로세스 : 챗GPT와 함께하는 대화형 디지털 문해력 교육

G – Guidance

목표 : 챗GPT를 활용하여 사용자에게 디지털 세계에서의 안내를 제공합니다.

진행 방식 : 챗GPT를 통해 사용자의 궁금증에 대답하고, 정보를 제공하여 디지털 세계에서의 길을 안내합니다.

P - Prevention

목표 : 중독 예방과 건강한 미디어 사용 습관을 촉진합니다.

진행 방식 : 챗GPT를 활용하여 중독의 원인을 설명하고, 건강한 미디어 사용에 대한 가이드라인을 제시하여 예방을 강조합니다.

T - Training

목표 : 챗GPT를 통한 대화를 통해 미디어 리터러시를 향상시키고, 문해력을 강화합니다.

진행 방식 : 챗GPT와 의 상호작용을 통해 사용자에게 다양한 미디어 관련 주제에 대한 정보를 제공하고, 비평적 사고와 분석 능력을 향상시키는 문해력 훈련을 하게 됩니다.

우리의 목표는 어린이들이 디지털 세계에서 안전하게 자라고, 올바르게 정보를 이해하며, 비평적 사고력을 향상시키며, 더 나

아가 미디어 리터러시의 중요성을 깨닫는 데 도움을 주는 것입니다.

이 책을 통해 부모님들은 챗GPT와 함께하는 색다른 교육 경험을 만나게 될 것이며, 이를 통해 온 가족이 함께 디지털 문해력을 키우는 여정을 시작할 수 있을 것입니다. 함께 디지털 시대를 즐기며 안전하게 누리는 방법에 대해 알아가 봅시다!

저자 소개

인간이 주체적인 생각을 하며 삶을 살아가는 것에 최우선의 가치를 두는 박소라는 서울예술대학 진학을 시작으로 '미디어교육'에 대해 관심을 갖게 된다. 그녀는 오랜 시간 다양한 연령층의 미디어교육을 진행했던 경험을 바탕으로 자신의 자녀들에게 '엄마 표 미디어 교육'을 적용시키며, 읽기의 힘은 곧 모든 언어의 문해력의 시작이며 더 나아가 디지털 문해력까지 완성시키는 것이 주체적인 생각 갖고 현재를 살아가는 실용적인 대안이자 방법이라고 주장하는 '미디어교육 전문가'이다.

사진작가, 디자인, 영상, 마케팅, 온라인 비지니스, 강사 등 다양한 포지션에서 활동하고 있는 그녀는 현재 블로그에서 누구나 작가처럼 사진 찍을 수 있고, 사진이 당신의 무기가 될 수 있다는 것을 강조한다. 우리가 매일 찍어내는 사진으로 만들어내는 부수입 방법에 대해 연구하고 N잡을 하고 싶어하는 초보자들에게 '스마트폰 사진'을 활용하는 방법을 알려준다. 누구나 콘텐츠를 만들 수 있으며 미디어를 활용 할 수 있다는 것을 직접 실천하여 보여주고 있으며, 수강생의 수많은 강의 후기는 '왜 이제서야 들었을까?'라는 말로 시작한다고 한다

01
서론

디지털 시대의 도래

21세기에 들어와서 우리는 디지털 시대의 시작을 목격하고 있습니다. 이전과 달리 우리의 삶은 디지털 기술에 둘러싸여 있으며, 이는 우리의 소통 방식, 정보 획득 방법, 놀이, 교육, 업무, 심지어는 사회와의 상호작용에 이르기까지 거의 모든 측면에 영향을 미치고 있습니다. 디지털 시대는 정보의 물결이 우리에게 밀려오는 새로운 패러다임을 열었습니다. 이제 우리는 스마트폰, 태블릿, 노트북 등의 디지털 기기를 통해 언제 어디서나 정보에 접근하고, 뉴스를 확인하며, 소셜 미디어를 통해 세상과 소통할 수 있게 되었습니다. 디지털 시대가 가져온 변화와 영향에 대해 살펴보겠습니다. 뿐만 아니라, 이러한 디지털 시대의 특징이 미디어 리터러시 교육의 필요성을 어떻게 부각시키고 있는지에 대해 탐구해 나갈 것입니다.

정보화 시대의 특징과 영향

인류는 오랜 세월 동안 정보를 전달하기 위해 다양한 방법을 사용해 왔습니다. 구전, 문자, 인쇄, 전파 등 다양한 매체를 통해 정보가 전달되었고, 이러한 정보 전달의 방법은 사회와 문화에 큰 영향을 미쳤습니다. 1960년대 이후, 정보 기술의 급속한 발전은 정보 전달의 방식을 근본적으로 변화시켰습니다. 컴퓨터, 인터넷, 모바일 기술의 발전은 정보의 생산, 저장, 전달, 접근을 획기적으로 변화시켰고, 이를 통해 새로운 정보 사회가 등장하게 되었습니다. 정보화 시대는 컴퓨터, 인터넷, 인공지능 등의 정보 기술이 발전하면서 사회 전반에 걸쳐 정보의 생산, 유통, 활용이 급격하게 증가한 시대를 말합니다.

미디어와 디지털 기술의 발전? 우리도 발전?

정보화 시대의 도래는 미디어와 디지털 기술의 발전과 밀접한 관련이 있습니다. 미디어와 디지털 기술은 정보의 생산, 유통, 활용에 있어 중추적인 역할을 담당하고 있습니다. 미디어와 디지털 기술의 발전은 우리 삶에 다양한 변화를 가져오고 있습니다. 정보의 접근성과 활용이 쉬워지면서, 사람들은 다양한 정보에 노출되고, 이를 통해 지식과 정보의 폭을 넓힐 수 있게 되었습니다. 또한, 미디어와 디지털 기술을 활용하여 다양한 형태의 커뮤니케이션이 가능해졌습니다. 미디어와 디지털 기술의 발전은 여러가지의 변화를 가져왔습니다. 우선 미디어의 범위와 종류가 확대되고 있고, 미디어의 접근과 활용이 용이해지고 있습니다. 또 미디어의 영향력이 확대되었습니다. 그러나, 미디어와 디지털 기술의 발전은 부작용도 발생시킬 수 있습니다. 가짜 뉴스, 정보 과잉, 디지털 중독 등이 대표적인 부작용입니다. 따라서, 미디어와 디지털 기술을 올바르게 이해하고 활용하기 위한 교육과 다음과 같은 노력이 필요합니다. 첫번째 미디어와 디지털 기술에 대한 이해를 높이고 활용 능력을 키워야 하며, 미디어와 디지털 기술의 긍정적 측면과 부정적 측면을 모두 고려하는 시각을 가져야 합니다. 마지막으로는 미디어와 디지털 기술을 윤리적으로 사용하도록 노력하고 그 방법을 배워야 합니다.

[생각해 볼 질문]

정보화 시대의 특징과 영향을 설명해 보세요.

미디어와 디지털 기술의 발전이 우리 삶에 어떤 영향을 미쳤다고 생각하세요?

디지털 중독과 미디어 리터러시의 중요성

디지털 기술의 발전으로 인해 우리의 삶은 편리해지고 정보에 더욱 접근하기 쉬워 짐과 동시에 이러한 혁신은 동시에 디지털 중독이라는 새로운 도전에 직면하게 만들었습니다. 스마트폰, 태블릿, 컴퓨터 등 다양한 디지털 기기의 보편화로 인해 우리는 미디어와의 상호작용이 더욱 증가하고 있습니다. 디지털 중독은 과도한 디지털 기기 사용으로 인해 발생하는 문제를 지칭합니다. 이는 화면 시간 증가, 소셜 미디어 중심의 인터랙션, 게임 및 동영상 시청 등이 포함됩니다. 디지털 중독은 신체적, 정신적 건강에 부정적인 영향을 미치며, 특히 어린이와 청소년에게 더 큰 위험성을 내포하고 있습니다. 이번에는 디지털 중독의 심각성을 살펴보고, 미디어 리터러시가 디지털 중독 예방에 어떠한 역할을 할 수 있는지에 대해 탐구할 것입니다. 또한, 우리가 디지털 시대에 살아가는 지금, 미디어 리터러시 교육이 얼마나 중요한지에 대해 고찰해 나갈 것입니다.

도파민 중독과 건강 문제의 심각성

디지털 기술의 발전으로 인해, 우리는 언제 어디서나 다양한 미디어에 접근할 수 있게 되었습니다. 이러한 변화는 우리 삶에 많은 편리함을 가져다주었지만, 한편으로는 디지털 중독이라는 새로운 문제에 직면하게 되었습니다. 디지털 중독은 인터넷, 스마트폰, 게임 등 디지털 기기나 서비스에 지나치게 몰입하여 일상생활에 지장을 초래하는 상태를 말합니다. 디지털 중독의 원인은 다양하지만, 도파민 중독이 가장 큰 원인으로 꼽힙니다. 도파민은 뇌에서 분비되는 신경전달물질로, 보상과 쾌락을 느끼게 하는 역할을 합니다. 디지털 기기나 서비스는 사용자에게 다양한 자극을 제공하여 도파민의 분비를 촉진합니다. 이로 인해, 사용자는 디지털 기기나 서비스에 대한 욕구를 조절하기 어려워지고, 중독에 빠질 위험이 높아집니다.

디지털 중독은 다음과 같은 건강 문제를 야기할 수 있습니다.

수면 장애 : 디지털 기기를 사용하면 뇌가 각성 상태를 유지하게 되어, 수면을 방해합니다.

사회적 고립 : 디지털 기기에 몰두하다 보면 현실 세계와의 연결이 약화되어, 사회적 고립으로 이어질 수 있습니다.

학업이나 직업 장애 : 디지털 중독으로 인해 학업이나 직업에 집중하기 어려워져, 학업이나 직업 수행에 어려움을 겪을 수 있습니다.

정신 건강 문제 : 디지털 중독은 우울증, 불안증, 조울증 등의 정신 건강 문제를 악화시킬 수 있습니다.

디지털 중독은 개인의 건강 뿐만 아니라, 사회 전반에도 부정적인 영향을 미칠 수 있습니다. 예를 들어, 디지털 중독으로 인해 학업이나 직장에 소홀해지면, 개인의 사회 진출에 어려움을 겪을 수 있습니다. 또한, 디지털 중독은 사회적 갈등을 유발하고, 사회 발전을 저해할 수 있습니다. 따라서 디지털 중독의 심각성을 인식하고, 이를 예방하기 위한 노력이 필요합니다.

미디어 리터러시의 역할 그리고 가치

미디어 리터러시란? 미디어를 비판적으로 이해하고, 이를 활용할 수 있는 능력을 말합니다. 미디어 리터러시는 디지털 중독 예방에 중요한 역할을 할 수 있습니다. 미디어 리터러시를 갖춘 사람은 다음과 같은 능력을 가지고 있습니다. 첫번째 미디어의 특성과 기능을 이해합니다. 두번째 미디어의 정보와 메시지를 비판적으로 평가합니다. 세번째 미디어를 자신의 목적에 맞게 활용합니다.

미디어 리터러시를 갖춘 사람은 디지털 중독을 예방할 수 있으며, 다음과 같은 이유로 디지털 중독에 걸릴 위험이 낮습니다. 미디어의 특성과 기능을 이해하여, 미디어의 유혹에 현혹되지 않습니다. 미디어의 정보와 메시지를 비판적으로 평가하여, 건강에 해로운 정보나 콘텐츠를 걸러냅니다. 미디어를 자신의 목적에 맞게 활용하여, 미디어에 지나치게 의존하지 않습니다.

따라서, 디지털 중독을 예방하기 위해서는 미디어 리터러시 교육이 중요합니다. 미디어 리터러시 교육을 통해, 사람들은 미디어를 올바르게 이해하고, 이를 활용할 수 있는 능력을 키울 수 있습니다. 이러한 능력은 디지털 중독을 예방하고, 디지털 기술을 건강하게 활용하는 데 도움이 될 것입니다.

[생각해 볼 질문]

디지털 중독을 예방하기 위해 미디어 리터러시 교육을 어떻게 실시해야 할까요?

디지털 중독을 예방하기 위해 개인이 할 수 있는 노력은 무엇일까요?

디지털 중독 예방을 위한 사회적으로 어떤 노력이 필요할까요?

미디어 리터러시의 목적과 챗GPT의 활용방안

21세기에 접어들면서 미디어는 우리의 일상에 더 깊이 녹아들고 있습니다. 그러나 정보의 다양성과 폭발적인 양 증가로 인해, 미디어를 올바르게 이해하고, 그에 대한 비판적 사고를 개발하는 것이 더욱 중요해 졌습니다. 미디어 리터러시는 이러한 도전에 대응하기 위한 핵심 역량을 키우는 데에 목적을 두고 있습니다. 미디어 리터러시 교육은 개인이 미디어 메시지를 적절히 해석하고, 다양한 매체에서 제공되는 정보를 평가하는 능력을 강화합니다. 이는 소비자로서 우리가 미디어에 노출될 때 발생할 수 있는 잠재적인 위험에 대처하고, 사회적 상황을 올바르게 이해하는 데 도움을 줍니다.

이 책은 미디어 리터러시 교육을 현대의 기술을 활용하여 더욱 효과적으로 수행하는 방법에 초점을 맞추고 있습니다. 챗GPT와 같은 자연어 처리 기술은 대화 중 학습하고, 사용자에게 맞춤형 정보를 제공하며, 비판적 사고를 촉진하는 데에 탁월한 도구로 작용할 수 있습니다. 어떻게 챗GPT를 활용하여 미디어 리터러시 교육을 진행할 수 있는지를 상세히 다룰 것이며, 이를 통해 독자는 현대의 기술을 효과적으로 활용하여 미디어 리터러시를 향상시킬 수 있는 방법을 익힐 수 있습니다. 무엇보다도, 이 방법은 전문 지식이 없어도 누구나 쉽게 적용 할 수 있도록 쓰여져 있습니다.

우리에게 미디어 리터러시 교육의 필요한 이유

디지털 기술의 발전은 우리 삶을 편리하고 풍요롭게 만들었지만, 한편으로는 미디어의 부정적 영향에 노출될 위험을 높이기도 했습니다. 사회 현상으로부터 미디어의 급격한 변화와 그에 따른 영향에 주목합니다. 디지털 시대의 도래로 우리의 정보 소비 패턴이 크게 변하면서, 미디어가 우리의 생활에 더 많은 영향을 미치고 있습니다. 텔레비전, 라디오, 신문 뿐만 아니라 소셜 미디어와 온라인 플랫폼이 등장함으로써 누구나 쉽게 정보를 생산하고 공유할 수 있게 되었습니다. 이에 따라 우리는 다양한 정보와 의견에 노출되며, 이로 인해 효과적인 미디어 리터러시가 필수적입니다.

미디어 소비자로서, 우리는 정보의 진위 여부를 판단하고, 다양한 의견에 대한 비평적 사고를 기르는 능력이 요구됩니다. 또한, 개인정보 보호와 온라인 안전에 대한 책임을 완수할 필요가 있습니다. 소셜 미디어와 검색 엔진의 알고리즘은 우리에게 보여지는 콘텐츠를 선별하고 결정합니다. 이에 대한 이해 없이는 편향된 정보에 노출될 위험이 있습니다. 미디어 리터러시는 이러한 알고리즘의 작동 원리를 이해하고, 정보의 다양성을 존중하며 소비하는 데 필요한 도구를 제공합니다. 또한, 검증되지 않은 허위 정보와 디지털 정보 검색 스킬의 중요성을 강조합니다. 미디어 소비자로서 우리는 허위 정보를 판별하고, 올바른 정보를 찾아내는 능력이 중요합니다.

미디어 리터러시 교육을 통해 나만의 기준이 세워지게 되고 또한, 기본적이며 필수적인 디지털 스킬을 터득함으로써 정보를 효과적으로 검색하고 활용하게 됩니다. 미디어 리터러시 교육은 이러한 미디어의 부정적 영향으로부터 우리를 보호하기 위한 중요한 역할을 합니다. 미디어 리터러시 교육을 통해 우리는 미디어의 특성과 기능을 이해할 수 있으며, 미디어의 정보와 메시지를 비판적으로 분석할 수 있습니다. 결국 우리는 미디어를 자신의 목적과 상황에 맞게 활용할 수 있습니다. 마지막으로, 미디어 리터러시 교육이 개인 및 사회적 수준에서 어떤 긍정적인 영향을 가져올 수 있는지 상세히 다룹니다. 미디어 리터러시를 향상시키면 우리는 더 적극적으로 참여하고, 더 안전하게 온라인 활동을 할 수 있으며, 사회적으로 책임 있는 미디어 소비자이자 생산자로 성장할 수 있습니다.

챗GPT를 활용한 교육방법, 누구나 할 수 있다.

챗GPT는 대규모 언어 모델로, 다양한 주제에 대한 정보를 제공하고, 질문에 대한 답변을 제시할 수 있습니다. 챗GPT를 활용한 미디어 리터러시 교육은 다음과 같은 장점이 있습니다. 누구나 쉽게 활용할 수 있습니다. 챗GPT는 별도의 교육이나 준비 없이도 사용할 수 있고, 챗GPT는 다양한 주제에 대한 정보를 제공할 수 있으므로, 다양한 미디어 리터러시 교육을 실시할 수 있습니다. 챗GPT는 대화 형식으로 정보를 제공하므로, 학생들의 참여를 유도할 수 있으며 챗GPT는 학생들의 학습 수준에 맞는 맞춤형 교육을 제공할 수 있습니다.

챗GPT를 활용한 미디어 리터러시 교육의 구체적인 방법은 다음과 같습니다.

교육의 대상과 목적에 맞는 교육 내용을 개발합니다.

챗GPT를 사용하여 교육 내용을 제공합니다.

학생들의 참여를 유도하기 위한 활동을 실시합니다.

예를 들어, 다음과 같은 교육 내용을 개발할 수 있습니다.

미디어의 특성과 기능 : 미디어의 종류, 미디어의 특징, 미디어의 기능 등을 교육합니다.

미디어의 정보와 메시지 비판 : 미디어의 정보와 메시지를 비판적으로 분석하는 방법을 교육합니다.

미디어의 활용 : 미디어를 자신의 목적과 상황에 맞게 활용하는 방법을 교육합니다.

챗GPT를 사용하여 이러한 교육 내용을 제공할 수 있습니다. 예를 들어, 다음과 같은 질문을 챗GPT에 할 수 있습니다.

미디어의 종류에는 어떤 것들이 있나요?

미디어의 특징에는 어떤 것들이 있나요?

미디어의 기능에는 어떤 것들이 있나요?

미디어의 정보를 비판적으로 분석하는 방법에는 어떤 것들이 있나요?

챗GPT는 이러한 질문에 대한 답변을 제공함으로써, 학생들이 미디어 리터러시를 향상시키는 데 도움을 줄 수 있습니다. 챗GPT를 활용한 미디어 리터러시 교육은 아직 초기 단계에 있지만, 그 가능성은 매우 크다고 할 수 있습니다. 챗GPT를 효과적으로 활용하면, 누구나 쉽게 미디어 리터러시 교육을 받을 수 있게 될 것입니다.

[생각해 볼 질문]

디지털 시대를 살아가는 데 있어, 미디어는 어떤 역할을 하고 있다고 생각하나요?

미디어 리터러시 교육의 중요성을 무엇이라고 생각하나요?

챗GPT를 활용한 미디어 리터러시 교육의 장점에 대해 어떻게 생각하나요?

02
미디어와 디지털 기기의 역할

미디어의 영향력

미디어는 우리 삶에 다양한 영향을 미칩니다. 미디어는 우리에게 정보를 제공하고, 여가를 제공하며, 사회 참여를 도울 수 있습니다. 또한, 미디어는 우리의 생각과 행동에 영향을 미칠 수 있습니다. 미디어는 우리의 생활에 깊은 영향을 미치며, 메시지를 형성하고 전달하는 주요 매개체입니다. 책, 영화, 뉴스, 소셜미디어 등 다양한 형식의 미디어가 각자의 메시지를 통해 사회, 문화, 정치, 경제 등 다양한 영역에 영향을 끼칩니다. 미디어 메시지는 우리의 가치관, 인식, 행동에 영향을 미치므로, 이를 비평적으로 이해하고 분석하는 능력이 중요합니다. 미디어는 사회적 변화를 촉발하고 영향을 미치는 주요 요소 중 하나입니다. 사회 문제, 다양성, 인권 등 다양한 주제들이 미디어를 통해 대중에게 전달되며, 이는 사회적 대화와 변화를 이끌어냅니다. 또한, 미디어는 문화를 형성하고 전파하는 역할을 하므로, 다양한 문화에 대한 이해와 존중이 필요합니다.

아래에서는 미디어의 영향력에 대해 살펴보도록 하겠습니다.

1. 정보 제공

미디어는 우리에게 다양한 정보를 제공합니다. 뉴스, 오락 프로그램, 교육 프로그램 등 다양한 미디어를 통해 우리는 세상에 대한 정보를 얻을 수 있습니다. 미디어는 우리에게 최신 뉴스와 트렌드를 알리고, 새로운 지식을 배우고, 세계를 이해하는 데 도움을 줍니다.

2. 여가 제공

미디어는 우리에게 여가를 제공합니다. 영화, 드라마, 음악, 게임 등 다양한 미디어를 통해 우리는 즐거움을 얻고, 스트레스를 해소할 수 있습니다. 미디어는 우리에게 휴식과 재미를 제공하고, 삶의 질을 높여줍니다.

3. 사회 참여

미디어는 우리에게 사회 참여를 도울 수 있습니다. 뉴스, 시사 프로그램, 토론 프로그램 등 다양한 미디어를 통해 우리는 사회 문제에 대한 정보를 얻고, 사회 참여에 대한 동기를 부여받을 수 있습니다. 미디어는 우리에게 사회에 대한 관심과 책임감을 심어주고, 더 나은 사회를 만들기 위한 노력에 동참할 수 있도록 도와줍니다.

4. 생각과 행동의 영향

미디어는 우리의 생각과 행동에 영향을 미칠 수 있습니다. 미디어의 정보와 메시지는 우리의 가치관과 인식에 영향을 미치고, 우리의 행동을 변화시킬 수 있습니다. 예를 들어, 미디어에서 폭력적인 내용을 자주 접하면, 폭력에 대한 인식이 왜곡될 수 있고, 실제로 폭력을 저지르게 될 가능성이 높아질 수 있습니다.

미디어의 영향력은 매우 크므로, 미디어를 올바르게 이해하고 활용하는 것이 중요합니다. 미디어를 통해 얻은 정보와 메시지를 비판적으로 분석하고, 그에 따라 우리의 생각과 행동을 조절할 수 있어야 합니다. 미디어는 긍정적인 영향뿐만 아니라 부정적인 측면도 가지고 있습니다. 디지털 기기를 통한 미디어 사용은 소통의 향상과 정보 접근성의 증가를 가져오지만, 과도한 사용은 건강 문제와 정보 과부하를 일으킬 수 있습니다. 이에 대한 균형있는 접근과 올바른 미디어 사용 습관을 갖추는 것이 필요합니다.

긍정적인 측면

정보 제공: 미디어는 우리에게 다양한 정보를 제공하여 세상을 이해하는 데 도움을 줍니다.

여가 제공: 미디어는 우리에게 여가를 제공하여 삶의 질을 높여줍니다.

사회 참여: 미디어는 우리에게 사회 참여를 도와 더 나은 사회를 만들기 위한 노력에 동참할 수 있도록 합니다.

부정적인 측면

왜곡된 정보: 미디어는 왜곡된 정보를 제공하여 우리의 생각과 행동을 왜곡시킬 수 있습니다.

중독: 미디어의 과도한 사용은 중독을 유발할 수 있습니다.

사회적 갈등: 미디어는 사회적 갈등을 조장할 수 있습니다.

따라서 미디어를 올바르게 이해하고 활용하기 위해서는 긍정적인 측면을 최대한 활용하고, 부정적인 측면을 최소화하기 위한 노력이 필요합니다.

미디어의 영향력을 이해하고 분석하는 것은 미디어 리터러시 교육의 중요한 부분입니다. 미디어 교육은 다양한 미디어 메시지에 대한 비평적 사고력을 기르고, 사회적 이슈에 대한 인식을 촉진합니다. 또한, 디지털 기술의 발전으로 미디어가 다양한 형식으로 전달되고 있는데, 이에 대한 이해와 적절한 활용이 필요합니다.

미디어 메시지의 형성과 전달에 대해 알아보자.

미디어 메시지는 미디어를 통해 전달되는 정보와 의미를 말합니다. 미디어 메시지는 다음과 같은 요소들로 구성됩니다.

- •내용: 미디어 메시지의 내용은 사실, 의견, 감정, 신념 등을 포함할 수 있습니다.
- •형식: 미디어 메시지의 형식은 문자, 소리, 이미지, 영상 등으로 나타날 수 있습니다.
- •목적: 미디어 메시지의 목적은 정보 제공, 설득, 오락, 교육, 사회 참여 등 다양합니다.

미디어 메시지는 다음과 같은 단계를 거쳐 형성되고 전달됩니다.

1. 기획: 미디어 메시지를 전달하기 위한 목적과 목표를 설정합니다.
2. 제작: 미디어 메시지의 내용과 형식을 결정하고, 이를 제작합니다.
3. 배포: 미디어 메시지를 수신자에게 전달합니다.

미디어 메시지의 형성은 미디어 제작자의 주관적인 해석과 편집을 통해 이루어집니다. 따라서 미디어 메시지는 제작자의 의도와 가치관을 반영하게 됩니다. 미디어 메시지의 전달은 미디어의 특성에 따라 달라집니다. 전통적인 미디어는 방송, 신문, 잡지, 영화, 책 등이 있으며, 디지털 미디어는 인터넷, 스마트폰, 소셜 미디어 등이 있습니다. 미디어 메시지는 수신자의 인지, 이해, 해석에 의해 받아들여집니다. 따라서 수신자의 미디어 리터러시가 미디어 메시지의 효과에 영향을 미칩니다. 미디어 메시지는 수신자의 지식, 태도, 행동에 영향을 미칠 수 있습니다. 미디어 메시지의 효과는 다음과 같은 요인에 의해 영향을 받습니다.

- 메시지의 내용과 형식: 미디어 메시지의 내용이 수신자의 관심과 욕구를 충족시키고, 형식이 수신자에게 이해하기 쉽고 친근하면, 미디어 메시지의 효과가 높아집니다.
- 수신자의 특성: 수신자의 인지 능력, 가치관, 태도, 관심사 등이 미디어 메시지의 효과에 영향을 미칩니다.
- 미디어 환경: 미디어 환경은 수신자가 미디어 메시지에 노출되는 정도와 방식에 영향을 미칩니다.

따라서 미디어 메시지를 효과적으로 전달하기 위해서는 미디어 메시지의 내용과 형식을 수신자의 특성과 미디어 환경에 맞게 고려해야 합니다.

미디어 메시지가 소비자들에게 미치는 영향

- 의식 형성 : 미디어는 개인과 집단의 의식을 형성하고 이를 통해 사회적 가치 및 신념에 영향을 미칩니다.
- 문화 형성 : 미디어는 특정 문화를 형성하고 전파함으로써 사회의 다양성을 보존하고 확장합니다.
- 정보 전달 : 가장 기본적으로, 미디어는 정보를 전달하는 매개체로서 역할합니다. 현대 사회에서 필요한 다양한 정보들이 미디어를 통해 전달됩니다.

이렇게 미디어 메시지의 형성과 전달은 우리의 생활에 큰 영향을 미치며, 이를 이해하고 비평적으로 접근하는 것은 미디어 리터러시의 일부로써 중요합니다.

그렇기 때문에 이제는 미디어 메시지의 비판적 수용은 선택이 아닌 필수 입니다. 미디어 메시지는 제작자의 주관적인 해석과 편집을 통해 이루어지므로, 이를 비판적으로 수용하고 해석하는 것이 중요합니다. 미디어 메시지를 비판적으로 수용하기 위해서는 미디어 메시지의 목적과 의도를 파악 해야 합니다. 미디어 메시지의 내용과 형식을 객관적으로 분석하는 눈을 키워야 합니다. 미디어 메시지의 사실과 의견을 구분합니다. 또한 미디어 메시지의 주관적인 해석과 편집을 인식하는 방법을 배워야 합니다. 미디어 메시지를 비판적으로 수용함으로써, 우리는 미디어의 영향력에서 벗어나고, 미디어를 올바르게 이해하고 활용할 수 있습니다.

미디어의 사회적 영향은 어떤 변화를 불러왔는가?

미디어는 우리 사회에 다양한 변화를 불러왔습니다. 미디어는 다양한 문화와 의견을 보다 쉽게 접할 수 있도록 했습니다. 전 세계의 다양한 콘텐츠가 글로벌하게 공유되면서 다양한 문화에 대한 이해와 수용이 증가했습니다. 이는 문화 간의 교류를 촉진하고 새로운 관점을 경험하는데 기여했습니다. 또한 미디어는 의사소통의 수단으로 기능하며, 실시간으로 정보를 교환하고 소통하는데 큰 역할을 합니다. 소셜 미디어를 통한 의견 공유와 댓글, 토론 등을 통해 사회적인 상호작용이 더 활발해지고 다양한 의견이 대두되었습니다. 결국 미디어의 발전은 정보의 빠른 전파와 공유를 가능케 했습니다. 사건이 발생하면 신속하게 뉴스와 소식이 전달되고, 사람들은 실시간으로 그 정보에 접근할 수 있습니다. 이는 사회적인 이슈에 대한 인식과 대응 속도를 향상시켰습니다.

미디어는 사회 운동과 변화를 촉진하는 데 핵심적인 역할을 합니다. 시민들은 소셜 미디어를 활용하여 자신의 목소리를 증폭시키고 사회적 문제에 대한 주목을 높일 수 있습니다. 이는 미디어를 통해 사회적 변화를 도모하는 데 큰 기회를 제공했습니다. 미디어의 발전은 상업과 소비문화를 촉진했습니다. 광고 및 마케팅은 다양한 미디어 채널을 통해 제품과 서비스를 홍보하고 소비자들에게 전달합니다. 이는 소비문화의 증가와 동시에 경제적 활동을 촉진시켰습니다.

이러한 변화를 정리해 보면 다음과 같이 살펴볼 수 있습니다.

1. 정보의 접근성 향상

미디어는 정보의 접근성을 향상시켰습니다. 과거에는 정보의 접근이 제한적이어서, 사람들은 자신이 살고 있는 지역이나 소속된 집단 내에서만 정보를 얻을 수 있었습니다. 그러나 미디어의 발달로 인해, 사람들은 다양한 정보에 쉽게 접근할 수 있게 되었습니다.

2. 사회적 소통의 활성화

미디어는 사회적 소통을 활성화했습니다. 과거에는 사람들 간의 소통은 직접적인 대면이나 서신 교환을 통해 이루어졌습니다. 그러나 미디어의 발달로 인해, 사람들은 인터넷, SNS, 모바일 메신저 등을 통해 언제 어디서나 다른 사람들과 소통할 수 있게 되었습니다.

3. 가치관과 문화의 변화

미디어는 가치관과 문화의 변화를 가져왔습니다. 미디어는 다양한 가치관과 문화를 전달함으로써, 사람들의 가치관과 문화에 영향을 미치고 있습니다. 예를 들어, 미디어는 여성의 사회참여를 장려하고, 다양한 문화에 대한 이해를 높이는 역할을 하고 있습니다.

4. 정치적 참여의 변화

미디어는 정치적 참여의 변화를 가져왔습니다. 미디어는 정치적 정보를 제공하고, 정치적 담론을 형성함으로써, 사람들의 정치적 참여를 활성화하는 역할을 하고 있습니다. 예를 들어, 미디어는 선거 정보의 제공과 정치적 이슈에 대한 토론을 통해, 사람들의 정치적 관심과 참여를 높이는 역할을 하고 있습니다.

5. 소비 패턴의 변화

미디어는 소비 패턴의 변화를 가져왔습니다. 미디어는 새로운 상품과 서비스에 대한 정보를 제공하고, 소비욕구를 자극함으로써, 사람들의 소비 패턴을 변화시키는 역할을 하고 있습니다. 예를 들어, 미디어는 새로운 상품과 서비스에 대한 광고를 통해, 사람들의 소비욕구를 자극하고, 소비 행동을 유도하는 역할을 하고 있습니다.

미디어의 사회적 영향은 긍정적인 측면과 부정적인 측면이 모두 있습니다. 긍정적인 측면으로는 다음과 같은 것들이 있습니다.

정보의 접근성 향상: 정보의 접근성 향상을 통해, 사람들은 더 많은 정보를 얻을 수 있게 되어, 지식과 이해의 폭이 넓어졌습니다.

사회적 소통의 활성화: 사회적 소통의 활성화를 통해, 사람들은 더 많은 사람들과 소통할 수 있게 되어, 관계가 강화되고, 사회 참여가 활성화되었습니다.

가치관과 문화의 변화: 가치관과 문화의 변화를 통해, 사람들은 더 개방적이고, 다양해졌습니다.

정치적 참여의 변화: 정치적 참여의 변화를 통해, 사람들은 더 민주적이고, 책임감 있게 행동하게 되었습니다.

소비 패턴의 변화: 소비 패턴의 변화를 통해, 사람들은 더 합리적이고, 효율적으로 소비하게 되었습니다.

부정적인 측면으로는 다음과 같은 것들이 있습니다.

정보의 왜곡: 정보의 왜곡을 통해, 사람들의 인식이 왜곡될 수 있습니다.

비판적 사고의 약화: 미디어에 지나치게 의존하면, 비판적 사고 능력이 약화될 수 있습니다.

사회적 갈등의 심화: 사회적 갈등의 심화를 통해, 사회의 안정이 위협받을 수 있습니다.

중독의 위험: 미디어에 지나치게 몰입하면 중독의 위험이 있습니다.

미디어의 영향력과 발전은 현대 사회를 근본적으로 변화시켰습니다. 다양한 미디어 형식이 우리의 일상에 녹아들면서, 사회적 상호작용과 문화적 다양성은 전례 없는 정도로 증가했습니다. 이러한 변화들은 긍정적인 측면과 동시에 주의가 필요한 부정적인 측면을 동반하고 있습니다. 미디어의 긍정적인 측면은 다양성과 의사소통의 촉진, 정보의 신속한 전파, 사회적 변화와 운동의 촉진 등이 있습니다. 하지만 동시에 중독, 소비문화의 과도한 촉진, 피해자의 증가와 같은 부정적인 측면도 무시할 수 없습니다.

미디어 리터러시 교육은 이러한 환경에서 우리가 미디어를 더 효과적으로 이해하고 활용하는 데에 있어서 필수적입니다. 이 책에서는 디지털 도파민 중독, 미디어의 사회적 영향, 그리고 미디어 리터러시 교육의 필요성에 대해 다뤘습니다. 또한, 챗GPT와의 대화를 통한 미디어 리터러시 교육 방법을 제시하고자 합니다. 우리는 적절한 미디어 사용의 중요성을 이해하고, 더 나아가 미디어를 통해 지식을 쌓고 비평적으로 사고하는 능력을 기를 필요가 있습니다. 이러한 교육을 통해 미디어 속에서 더 건강하고 지혜로운 관계를 구축할 수 있을 것입니다. 결국, 미디어 리터러시는 현대 사회에서 필수적인 시민적 역량의 한 부분으로 자리 잡고 있습니다.

[생각 해 볼 질문]

미디어의 영향력으로 인해, 우리 사회에서 어떤 변화가 일어나고 있습니까?

미디어의 사회적 영향 중에서 가장 중요하다고 생각하는 것은 무엇입니까? 그 이유는 무엇입니까?

미디어의 영향력은 긍정적 측면과 부정적 측면이 모두 있습니다. 긍정적 측면과 부정적 측면을 각각 하나씩 예시로 들어 설명해 주세요.

디지털 기기의 활용과 적절한 사용

디지털 기기를 통해 우리는 다양한 정보를 얻고, 소통하고, 학습하고, 여가를 즐길 수 있습니다. 그러나 디지털 기기의 과도한 사용은 건강과 사회에 부정적인 영향을 미칠 수 있습니다. 따라서 디지털 기기를 올바르게 활용하고, 적절하게 사용하는 것이 중요합니다. 디지털 기기의 발전은 현대 사회에 혁명적인 변화를 가져왔습니다. 스마트폰, 태블릿, 노트북 등 다양한 디지털 기기들이 우리의 생활에 녹아들면서 정보 접근성이 향상되고 소통이 더욱 원활해졌습니다. 그러나 이러한 혜택과 함께 디지털 기기의 부적절한 사용은 문제를 야기할 수 있습니다.

지금부터 디지털 기기의 활용과 적절한 사용에 대해 살펴보겠습니다. 디지털 기기가 우리의 삶에 미치는 긍정적인 영향과 동시에 주의해야 할 부정적인 측면을 살펴보며, 이를 통해 미디어 리터러시 교육의 필요성을 이해하는 데에 기여할 것입니다. 디지털 기기는 정보 검색, 소셜 미디어를 통한 소통, 업무 수행 등 다양한 활동에 사용되고 있습니다. 이러한 다양성은 우리의 생활을 편리하게 만들어주지만, 동시에 디지털 도구에 대한 적절한 이해 없이 사용할 경우 문제를 발생시킬 수 있습니다.

적절한 디지털 기기 사용이 중요한 이유는 여러 가지가 있습니다. 첫째, 건강 문제와 관련하여 과도한 화면 시간이 시력 문제, 수면 부족, 운동 부족 등을 초래할 수 있습니다. 둘째, 디지털 중독 문제는 특히 어린 세대에게 더욱 심각한 문제로 부각되고 있습니다. 마지막으로, 개인정보 보호와 사생활 침해 등 디지털 기기 사용으로 발생할 수 있는 사회적 문제도 중요한 고려사항입니다.

디지털 기기의 활용 방법은 다음과 같이 살펴볼 수 있습니다.

정보 습득: 디지털 기기를 통해 다양한 정보를 얻을 수 있습니다. 뉴스, 책, 학습 자료 등 다양한 정보에 접근할 수 있습니다.

소통: 디지털 기기를 통해 다른 사람들과 소통할 수 있습니다.

SNS, 메신저, 화상 통화 등을 통해 다른 사람들과 연결될 수 있습니다.

학습: 디지털 기기를 통해 학습할 수 있습니다. 온라인 강의, 교육 자료 등 다양한 학습 자료에 접근할 수 있습니다.

여가: 디지털 기기를 통해 여가를 즐길 수 있습니다. 게임, 음악, 영화 등 다양한 여가 활동을 할 수 있습니다.

디지털 기기의 과도한 사용은 다음과 같은 부정적인 영향을 미칠 수 있습니다.

건강 문제: 디지털 기기의 과도한 사용은 눈의 피로, 두통, 수면 장애, 비만 등의 건강 문제를 유발할 수 있습니다.

사회적 문제: 디지털 기기의 과도한 사용은 사회적 관계의 단절, 학업 성적 저하, 폭력 성향의 증가 등의 사회적 문제를 유발할 수 있습니다.

따라서 디지털 기기를 올바르게 활용하고, 적절하게 사용하는 것이 중요합니다. 디지털 기기의 사용 시간과 방식을 조절하고, 자기 조절 능력을 키우는 노력을 통해 디지털 기기를 건강하게 사용할 수 있도록 해야 합니다. 디지털 기기의 적절한 사용을 위해서는 다음과 같은 구체적인 방법을 실천해 볼 수 있습니다.

디지털 기기 사용 계획 세우기: 하루 동안 디지털 기기를 어떻게 사용할지 계획을 세우고, 그에 따라 사용을 실천합니다.

디지털 기기 사용 기록하기: 하루 동안 디지털 기기를 어떻게 사용했는지 기록하고, 사용 시간을 분석합니다.

디지털 기기 사용 중단 시간 설정하기: 하루에 한 번씩 디지털 기기 사용을 중단하고, 휴식을 취합니다.

디지털 기기 사용을 대체할 수 있는 활동 찾기: 디지털 기기 대신 할 수 있는 활동을 찾아, 디지털 기기 사용을 줄입니다.

이러한 방법들을 실천함으로써, 디지털 기기를 올바르게 활용하고, 적절하게 사용할 수 있는 능력을 키울 수 있습니다.

양날의 검! 스마트폰 및 태블릿의 보편화

스마트폰과 태블릿은 현대 사회에서 더 이상 선택사항이 아닌 필수품으로 자리매김하고 있습니다. 이들 디지털 기기는 우리의 손끝에서 세계를 탐험하고 소통하는 창구로 자리 잡아, 정보의 보고, 놀이, 업무, 소셜 네트워킹, 뉴스 소비 등 다양한 용도로 사용되고 있습니다. 그러나 이러한 편리함과 활용성은 동시에 주의를 기울여야 할 부분도 야기하고 있습니다. 스마트폰과 태블릿의 보편화로 인해 소통은 더 쉬워졌고, 정보에 빠르게 접근할 수 있게 되었습니다. 하지만 이러한 혜택이 과도한 화면 시간, 디지털 중독, 개인정보 보호 문제와 같은 부작용을 야기할 수 있습니다. 이에 따라 스마트폰 및 태블릿의 보편화는 양날의 검이라고 할 수 있습니다.

스마트폰과 태블릿이 어떻게 우리의 일상에 녹아들었는지 살펴보고, 이러한 디지털 기기의 활용이 우리에게 미치는 양면의 영향에 대해 다룰 것입니다. 이를 통해 스마트폰과 태블릿의 적절한 사용에 대한 인식을 높이고, 미디어 리터러시 교육의 필요성을 강조할 것입니다.

결국 스마트폰과 태블릿은 우리 삶에 빠질 수 없는 필수품이 되었고, 특히나 아이들은 태어나면서부터 스마트폰과 태블릿의 다양한 기능을 일반적인 문화로 받아드리고 있습니다. 아이들이 그 문화의 순기능만 받아드리면 더할 나위없이 좋겠지만 양날의 검이라고 표현 한 이유는 여기에 있다는 것을 모두 아실거라 생각합니다. 스마트기기들은 우리에게 편리함을 제공하고 있으며 동시에 스마트폰과 태블릿의 보편화는 부정적인 측면도 가지고 있습니다.

스마트폰과 태블릿의 보편화는 다음과 같은 긍정적인 영향을 미치고 있습니다.

정보 습득의 편리성 향상: 스마트폰과 태블릿을 통해 다양한 정보를 손쉽게 얻을 수 있습니다.

소통의 활성화: 스마트폰과 태블릿을 통해 다른 사람들과 쉽게 소통할 수 있습니다.

학습의 기회 확대: 스마트폰과 태블릿을 통해 다양한 학습 자

료를 접할 수 있습니다.

여가의 다양화: 스마트폰과 태블릿을 통해 다양한 여가 활동을 즐길 수 있습니다.

그러나 스마트폰과 태블릿의 보편화는 다음과 같은 부정적인 영향을 미치고 있습니다.

건강 문제: 스마트폰과 태블릿의 과도한 사용은 눈의 피로, 두통, 수면 장애, 비만 등의 건강 문제를 유발할 수 있습니다.

사회적 문제: 스마트폰과 태블릿의 과도한 사용은 사회적 관계의 단절, 학업 성적 저하, 폭력 성향의 증가 등의 사회적 문제를 유발할 수 있습니다.

중독 위험: 스마트폰과 태블릿의 과도한 사용은 중독의 위험이 있습니다.

따라서 스마트폰과 태블릿을 올바르게 활용하고, 적절하게 사용하는 것이 중요합니다. 스마트폰과 태블릿의 사용 시간과 방식을 조절하고, 자기 조절 능력을 키우는 노력을 통해 스마트폰과 태블릿을 건강하게 사용할 수 있도록 해야 합니다.

스마트폰 및 태블릿의 보편화로 인한 부정적인 영향의 예시

눈의 피로: 스마트폰과 태블릿의 화면은 컴퓨터 모니터보다 밝아서 눈의 피로를 유발할 수 있습니다.

두통: 스마트폰과 태블릿을 오랫동안 사용하면, 두통을 유발할 수 있습니다.

수면 장애: 스마트폰과 태블릿의 밝은 화면은 수면 호르몬인 멜라토닌의 분비를 억제하여, 수면 장애를 유발할 수 있습니다.

비만: 스마트폰과 태블릿을 사용하면서 과식이나 야식을 하게 되면, 비만의 위험이 높아질 수 있습니다.

사회적 관계의 단절: 스마트폰과 태블릿에 과도하게 몰입하면, 사회적 관계가 단절될 수 있습니다.

학업 성적 저하: 스마트폰과 태블릿에 과도하게 몰입하면, 학업 성적이 저하될 수 있습니다.

폭력 성향의 증가: 스마트폰과 태블릿을 통해 폭력적인 콘텐츠에 노출되면, 폭력 성향이 증가할 수 있습니다.

중독 위험: 스마트폰과 태블릿에 과도하게 몰입하면, 중독의 위험이 있습니다.

이와 같이 스마트폰과 태블릿의 보편화로 인해 우리의 생활은 더욱 편리해졌습니다. 하지만 이러한 편리함이 미디어 소비 및 디지털 기기 사용에 대한 주의를 늦출 수 없습니다. 지금까지 스마트폰과 태블릿의 보편화가 가져온 이점과 동시에 발생할 수 있는 부정적인 영향에 대해 살펴보았습니다. 스마트폰 및 태블릿의 보편화로 소통과 정보 접근성이 향상되었지만, 과도한 화면 시간으로 인한 건강 문제, 디지털 중독, 개인정보 보호 문제 등의 부작용이 발생할 수 있습니다. 이러한 양면성을 이해하고, 적절한 사용 방법을 교육받는 것이 중요합니다. 미디어 리터러시 교육은 이러한 문제에 대한 인식을 높이고, 스마트폰 및 태블릿의 적절한 활용 방법을 가르치는 데에 큰 역할을 할 것입니다. 우리는 디지털 기기와의 상호작용에서 발생할 수 있는 도전과 기회를 인지하며, 더 건강하고 지혜로운 디지털 환경을 조성하기 위해 계속해서 노력해 나가야 합니다.

[생각해 볼 질문]

스마트폰과 태블릿의 보편화로 인해, 우리 사회에 어떤 변화가 일어나고 있습니까?

스마트폰과 태블릿의 과도한 사용은 어떤 부정적인 영향을 미칠 수 있습니까?

개인적인 이용 경험을 바탕으로 디지털 기기 사용에 대한 자신만의 관리 전략을 세워봅시다.

03
디지털 도파민 중독의 현황과 문제점

정의와 배경

21세기 디지털 시대에서는 끊임없는 정보의 흐름과 다양한 디지털 기기의 보편화로 인해 우리의 삶이 크게 변화하고 있습니다. 그러나 이러한 변화에는 새로운 도전과 문제도 함께 등장하고 있습니다. 그 중 한 가지 주목할 만한 문제는 디지털 도파민 중독입니다. 디지털 도파민 중독은 주로 디지털 매체나 기기 사용으로 인해 뇌 내 도파민 분비가 지나치게 증가하면서 발생하는 현상입니다. 도파민은 우리가 쾌감을 느끼고 보상을 경험하는 데에 관여하는 신경전달물질로, 이를 지나치게 활성화시키는 것이 중독을 일으키는 원인 중 하나입니다.

도파민은 뇌에서 분비되는 신경전달 물질로, 쾌락, 보상, 동기부여 등의 감정에 관여하는 것을 가리키는데 이 신경물질이 디지털 기기의 사용과 어떤 연관성이 있는지 살펴보면 디지털 기기를 사용하고 빠르고 자극적인 미디어에 노출 될 수록 뇌의 도파민 분비를 증가시키게 됩니다. 그로 인해 일시적인 쾌락과 만족감을 느끼게 됩니다. 그러나 이러한 쾌락은 오래 지속되지 않고, 점차 강렬한 자극(더 빠르고, 더 자극적인 내용의 영상 등)을 필요로 하게 되어 중독으로 이어질 수 있습니다. 현재 디지털 도파민 중독 현상은 다양한 연령층에서 나타나고 있으며, 특히 어린이와 청소년에게 미치는 영향까지도 심각하게 우려되고 있습니다. 온라인 게임, 소셜 미디어, 동영상 스트리밍 등 다양한 디지털 활동으로 쉽게 발생할 수 있는 이러한 중독은 정신 건강 문제와 신체적 건강 문제를 유발할 수 있어, 우리 사회에 급속한 문제로 부상하고 있습니다. 이 장에서는 디지털 도파민 중독의 현황과 문제점을 정의하고, 그 배경을 살펴보고자 합니다. 이를 통해 디지털 도파민 중독의 심각성을 인식하고, 예방 및 관리 방안을 모색하는 데 도움이 되고자 합니다.

디지털 도파민 중독은 디지털 기기의 과도한 사용으로 인해 뇌의 도파민 분비가 증가하고, 일시적인 쾌락과 만족감을 느끼게 되는 상태를 말합니다. 이러한 상태는 점차 강렬한 자극을 필요로 하게 되어 중독으로 이어질 수 있습니다. 디지털 도파민 중독의 문제점은 다음과 같습니다.

건강 문제: 눈의 피로, 두통, 수면 장애, 비만 등의 건강 문제를 유발할 수 있습니다.

사회적 문제: 사회적 관계의 단절, 학업 성적 저하, 폭력 성향의 증가 등의 사회적 문제를 유발할 수 있습니다.

미디어 중독 위험: 스마트 기기에서만 재미를 찾는 미디어 중독의 위험이 있습니다.

디지털 도파민 중독의 배경의 요인들로는 우선적으로 디지털 기기의 보편화를 꼽을 수 있습니다. 디지털 기기가 우리 삶에 필수적인 도구가 되면서, 과도한 사용이 증가하고 있습니다. 디지털 기기의 특성은 디지털 기기는 다양한 콘텐츠를 제공하고, 사용자의 참여를 유도하는 인터페이스를 제공하고 있습니다. 이러한 특성은 뇌의 도파민 분비를 증가시키는 데 기여합니다. 그로 인해 현대인들은 다양한 스트레스와 우울감을 경험하고 있습니다. 이러한 스트레스와 우울감은 디지털 기기의 과도한 사용으로 이어질 수 있습니다. 디지털 도파민 중독은 개인과 사회에 심각한 문제를 야기할 수 있는 만큼, 그 심각성을 인식하고 예방 및 관리 방안을 모색하는 것이 중요합니다. 계속적으로 이 장에서는 디지털 도파민 중독에 대한 정의와 특징을 살펴보며, 이로 인해 발생하는 문제점들에 대해 심층적으로 다루어 보도록 하겠습니다.

디지털 도파민 중독의 특징과 현대인에게 나타나는 증상.

디지털 도파민 중독은 디지털 매체의 보편화로 인해 현대 사회에서 증가하는 문제 중 하나로 대두되고 있음에 대해 계속적인 강조를 하고 있습니다. 디지털 도파민 중독은 디지털 자극에 반응하여 뇌가 도파민을 과도하게 분비하는 현상으로, 이로 인해 사용자는 디지털 매체에 지나치게 의존하게 되어 정상적인 생활에서의 쾌감을 얻기 어려워집니다. 이에 따라 디지털 도파민 중독은 다양한 특징과 현대인에게 나타나는 다양한 증상들을 보입니다. 디지털 도파민 중독의 특징은 다양한 디지털 매체의 남용에 기인합니다. 온라인 게임, 소셜 미디어, 동영상 플랫폼 등 다양한 디지털 환경에서의 지속적인 활동으로 도파민의 지속적인 분비가 유발됩니다. 이는 일상 생활에서의 활동보다 디지털 매체에 더 많은 시간을 할애하게 만들며, 이로 인해 정상적인 사회적 관계와 활동에 소홀해지는 경향이 있습니다.

예를 들면 과거에는 2시간짜리 영화를 보기위해 영화관에 2시간이 넘는 시간 동안 앉아 있는 것이 그 닥 어렵지 않았다면, 시대가 변화하는 속도에 맞춰 함께 빨라진 동영상 스타일로 인하여 약 30분 짜리의 영상도 1.5배속을해서 보는 현대인이 계속적으로 증가하고 있습니다. 도파민 중독은 산책, 독서, 운동, 타인과의 상호작용 등 일상생활에서는 즐거움을 느끼기가 어려워지는 단계까지 도달하게 되는 것 입니다. 그로 인해 개인의 생활은 물론이고 타인과의 소통 속에서 느낄 수 있는 소소한 즐거움은 사라지고 고작 조그마한 네모 속 세상만이 나의 즐거움이 되어간다는 것입니다. 또한, 소셜 미디어 중독자는 '좋아요'나 '팔로우' 수에 대한 지속적인 관심으로 인해 현실에서의 사회적 활동에 소극적이 될 가능성이 있습니다. 이로 인해 실제 대면 소통이 감소하고 사회적인 소외감이 증가할 수 있습니다.

디지털 도파민 중독의 특징은 뇌의 도파민 분비 증가되어 디지털 기기의 사용은 뇌의 도파민 분비를 증가시킵니다. 도파민은 쾌락, 보상, 동기 부여 등의 감정에 관여하는 신경전달 물질입니다. 따라서 디지털 기기의 사용은 일시적인 쾌락과 만족감을 느끼게 합니다. 강렬한 자극에 대한 욕구 역시 증가 됩니다. 디지털 도파민 중독이 진행되면, 점차 강렬한 자극을 필요로 하게 됩니다. 따라서 디지털 기기의 사용 시간이 증가하고, 다른 활동에 대한 관심이 감소하게 됩니다. 그로 인해 디지털 도파민 은 중독의 위험이 있습니다. 중독이 되면, 디지털 기기의 사용을 통제하기 어려워지고, 일상생활에 지장을 초래할 수 있습니다.

< 현대인에게 나타나는 디지털 도파민 중독의 증상 >

디지털 기기의 사용 시간이 길어진다.

디지털 기기를 사용하지 않으면 불안, 초조, 우울감 등의 증상이 나타난다.

디지털 기기의 사용을 중단하기 어렵다.

디지털 기기의 사용으로 인해 학업, 업무, 대인관계 등에 지장이 생긴다.

이전 보다 기억력이 감퇴하는 것 같다. 자주 잊어버린다.

디지털 도파민 중독은 개인의 건강과 사회에 부정적인 영향을 미칠 수 있는 심각한 문제입니다. 현대인들에게 다양한 증상과 어려움을 안겨주고 있습니다. 이러한 문제에 대응하기 위해서는 우선적으로 디지털 매체의 사용에 대한 적절한 균형과 통제가 필요합니다.

또한, 정기적인 스크린 타임 관리와 현실 생활에서의 다양한 활동 참여가 중요하며, 필요한 경우 전문가의 도움을 받는 것이 좋습니다. 이를 통해 디지털 도파민 중독으로 인한 부정적인 영향을 최소화하고 건강한 삶의 방향으로 나아갈 수 있습니다. 우리는 디지털 도파민 중독의 특징과 현대인에게 나타나는 증상을 이해하고, 예방 및 관리를 위한 노력이 필요합니다

성장 중인 중독 문제의 규모와 영향

현대 사회에서는 디지털 매체의 사용이 증가함에 따라 중독 문제가 성장하고 있습니다. 특히, 디지털 도파민 중독은 다양한 연령층에 영향을 미치며, 그 규모와 영향은 점차 심각해지고

있습니다. 이로 인해 사회적인 문제와 건강에 대한 우려가 증대되고 있습니다. 디지털 중독의 규모는 점차 증가하고 있습니다. 세계보건기구(WHO)의 2022년 발표에 따르면, 전 세계 인구의 약 5%가 디지털 중독에 해당하는 것으로 추정됩니다. 특히, 청소년의 경우 디지털 중독 위험이 더 높아, 약 15%가 디지털 중독에 해당하는 것으로 추정됩니다.

또한 세계보건기구(WHO)는 2023년 6월, 게임 중독을 질병으로 분류하였습니다. 이는 디지털 도파민 중독의 심각성을 반영하는 것입니다. 디지털 중독은 개인의 건강과 사회에 부정적인 영향을 미칠 수 있습니다. 디지털 중독의 주요 영향은 다음과 같습니다.

디지털 도파민 중독으로 인해 발생할 수 있는 개인 건강 문제

눈의 피로: 디지털 기기의 화면을 장시간 바라보게 되면, 눈의 피로가 발생할 수 있습니다.

두통: 디지털 기기의 화면을 장시간 바라보게 되면, 두통이 발생할 수 있습니다.

수면 장애: 디지털 기기의 사용으로 인해 숙면을 취하기 어려워질 수 있습니다.

비만: 디지털 기기의 사용으로 인해 운동량이 감소하고, 과식이나 폭식의 위험이 증가할 수 있습니다.

디지털 도파민 중독으로 인해 발생할 수 있는 사회적 문제

사회적 관계의 단절: 디지털 기기에 의존하게 되면, 현실 세계에서의 사회적 관계가 단절될 수 있습니다.

학업 성적 저하: 디지털 기기의 사용으로 인해 학업에 집중하기 어려워지고, 학업 성적이 저하될 수 있습니다.

폭력 성향의 증가: 디지털 기기의 사용으로 인해 폭력적인 콘텐츠에 노출될 위험이 증가하고, 폭력 성향이 증가할 수 있습니다.

디지털 도파민 중독으로 인해 발생할 수 있는 경제적 손실

중독 치료에 따른 경제적 손실: 디지털 도파민 중독의 치료에는 경제적인 비용이 소요됩니다.

생산성 감소: 디지털 도파민 중독으로 인해 업무 효율이 저하되고, 생산성이 감소할 수 있습니다.

결국 디지털 기기 중독은 개인의 사회적 관계에도 부정적인 영향을 미치게 됩니다. 명확한 기준 없이 무분별한 디지털 기기의 사용에 몰두하다 보면, 가족, 친구, 연인과의 관계를 소홀히 하게 될 수 있으며 또한, 사회적 관계의 단절로 인해 우울감, 외로움, 불안감 등의 정서적 문제를 경험할 수 있습니다. 디지털 기기 중독은 학업 성적 저하, 직장 생활의 어려움, 폭력 성향의 증가 등의 사회적 문제를 유발할 수도 있습니다. 디지털

기기의 사용에 몰두하다 보면, 학업이나 업무에 집중하기 어려워지고, 폭력적인 콘텐츠에 노출되어 폭력 성향을 보일 수 있습니다.

실제로ADHD(주의력결핍과잉행동장애)와 휴대폰 사용 간의 상관관계에 대한 연구는 여러 연구에서 진행되었으며, 일부에서는 휴대폰 사용과 ADHD 증상 간의 양적 관련성을 발견하고 있습니다. 그러나 연구 결과에 대해서는 일관성이 없고, 논쟁의 여지가 있습니다. 다수의 연구에서는 휴대폰 사용이 ADHD와 관련이 있다는 주장을 하고 있습니다. 이러한 연구 중 일부에서는 휴대폰 사용이 과도할 경우 주의력 결핍, 과잉 활동, 충동성 등 ADHD 증상을 악화시킬 수 있다는 결과를 보고하고 있습니다. 휴대폰 사용이 ADHD 증상을 악화시킬 수 있는 이유로는 다음과 같은 것들이 있습니다.

주의력 분산: 휴대폰은 다양한 콘텐츠를 제공하고, 사용자의 참여를 유도하는 인터페이스를 제공합니다. 이러한 특성은 사용자의 주의력을 분산시켜, ADHD 증상을 악화시킬 수 있습니다.

도파민 조절 이상: 휴대폰의 사용은 뇌의 도파민 분비를 증가시킵니다. 도파민은 주의력, 충동 조절, 보상 등에 관여하는 신경전달 물질입니다. 휴대폰의 사용으로 인해 도파민 분비가 증가하면, ADHD 증상을 악화시킬 수 있습니다.

특히, 스마트폰의 게임이나 동영상 시청과 SNS 사용이 지속적으로 계속해서 이루어질 경우 뇌의 활성화와 주의력에 부정적인 영향을 미칠 수 있다는 주장이 있습니다. 반면에 일부 연구에서는 이러한 관계에 대한 명확한 근거가 부족하다는 의견도 있지만 휴대폰 사용과 ADHD 간의 상관관계는 다양한 변수들의 영향을 받을 수 있으며, 인과관계를 명확하게 설명하기 어렵다는 점이 있습니다. 또한, 휴대폰 사용이 적절하게 이루어진 경우에는 부정적인 영향이 나타나지 않을 수 있다는 의견도 역시 있습니다. 종합적으로 말하면, 휴대폰 사용과 ADHD 간의 상관관계에 대한 연구는 아직 초기 단계이며, 논의가 분분한 주제 이지만 무분별한 디지털 기기 사용과 과도한 시간은 어느 정도 악영향을 줄 수 있으며, 무분별하지 않게 올바른 방향으로 디지털 기기를 사용한다면 오히려 도움을 받는 부분이 있을 수 있다는 것을 유추 할 수 있습니다.

[생각해 볼 질문]

디지털 도파민 중독은 왜 발생한다고 생각하나요?

디지털 도파민 중독을 예방하기 위한 방법은 무엇이 있나요?

디지털 도파민 중독이 의심되는 경우, 어떻게 해야 하나요?

현대 사회에서의 중독 현상

현대 사회는 다양한 중독 현상이 나타나고 있는 시대입니다. 중독은 특정 물질이나 활동에 대한 의존성이 높아져, 이를 통제하지 못하는 상태를 말합니다. 중독은 개인의 건강과 사회에 부정적인 영향을 미칠 수 있는 심각한 문제입니다. 현대 사회는 중독의 위험이 증가하고 있는 사회가 된 이러한 현상은 디지털 기기의 보급으로 디지털 기기는 다양한 콘텐츠를 제공하고, 사용자의 참여를 유도하는 인터페이스를 제공합니다. 이러한 특성은 사용자의 주의력을 분산시키고, 도파민 분비를 증가시켜 중독을 유발할 수 있습니다. 또 스트레스와 우울감의 증가 됩니다. 현대 사회는 경쟁이 치열하고, 불확실성이 증가하고 있습니다. 이러한 환경은 스트레스와 우울감의 증가로 이어질 수 있으며, 중독의 위험을 높입니다. 중독에 대한 사회적 인식의 변화도 이루어지고 있습니다. 과거에는 중독이 개인의 문제로 여겨졌지만, 최근에는 중독이 사회적 문제로 인식되고 있습니다. 이러한 인식의 변화는 중독에 대한 치료와 예방에 대한 관심을 증가시키고 있습니다.

다양한 연령층에서 나타나는 중독 증상

어린이와 청소년

어른들이야 '디지털세대'라는 말이 이해가 가지만 어린이와 청소년은 태어난 순간부터 아니 태어난 곳이 곧 '디지털세계와의 공존'이기 때문에 '디지털'이라는 문화는 문화가 아니라 애초에 기본값으로 적용 되어있습니다. 점점 더 빨라지는 디지털 기기와 게임의 보급으로 어린이와 청소년들은 동영상, 게임, 소셜 미디어 등에 중독되기 쉽습니다. 게임 중독은 주로 게임에 대한 지나친 열정과 시간 소비, 현실과의 소통 부족으로 나타납니다. 소셜 미디어 중독은 사회적인 승인을 얻기 위해 지나치게 활동하거나, 자기 자아의 형성에 소셜 미디어를 의존하는 양상을 보입니다. 지나치게 외모에 신경을 쓰게 된다 거나 온라인상에서 나타나는 지표가 이세상의 모든 기준이 되는 잘못된 시각이 발달하기도 합니다. 심각한 경우 선망의 대상을 계속적으로 따라하기 위해 스스로를 속이게 되는 경우까지 발생하게 됩니다.

성인층

성인층에서는 업무와 가정 생활에서의 스트레스로 인해 휴대폰, 컴퓨터 등 디지털 기기에 중독되는 경우가 많습니다. 특히 스마트폰의 경우 업무용으로 사용되는 경우와 더불어 높은 수준의 스크린 타임이 불안과 스트레스를 유발하여 중독 증상을 유발할 수 있습니다. 성인은 뇌가 발달을 마친 상태이지만, 스트레스와 우울감 등의 정서적 문제로 인해 중독에 걸릴 위험이 있습니다. 성인기의 중독 증상으로는 SNS 중독, 온라인 쇼핑 중독, 휴대폰 중독, 인터넷 게임 중독 등이 있습니다. 타인과의 소통의 필요성을 느끼지 못한 성인일수록 실제로는 소극적이나, 온라인상에서는 적극적인 모습이 보여진다든가 평소에 하지 못했던 것들을 온라인 상에서 이루고자 하는 욕구가 더 발현 되는 바람에 오히려 현실과의 괴리감을 이기지 못하는 경우가 발생하게 됩니다.

노년층

어린이나 청소년, 성인에 비해 비율이 적거나 중독 상태가 양호한 편에 속하는 노년층은 디지털보다는 아날로그를 겪은 시간의 비중이 높은 것이 영향을 주었다고 바라보는 주장도 있습니다. 그렇지만 노년층에서는 디지털 매체의 사용이 사회적 고립과 더불어 정신적인 활동 부족으로 이어질 수 있습니다. 노인은 뇌의 노화로 인해 도파민 분비가 감소하고, 스트레스와 우울감에 취약해집니다. 이러한 요인들은 노년기의 중독 위험을 높입니다.

중독과 정신 건강 문제 간의 상호작용

중독과 정신 건강 문제는 서로 밀접하게 관련되어 있습니다. 중독은 정신 건강 문제를 유발할 수 있고, 정신 건강 문제는 중독을 유발할 수 있습니다. 중독은 우울증, 불안증, 조현병, ADHD 등의 정신 건강 문제를 유발할 수 있습니다. 중독은 스트레스, 고립, 부정적 정서 등을 악화시켜 정신 건강 문제를 유발할 수 있습니다. 반대로, 정신 건강 문제는 중독을 유발할 수 있습니다. 우울증, 불안증, 조현병, ADHD 등의 정신 건강 문제는 중독에 대한 취약성을 증가시킬 수 있습니다. 중독과 정신 건강 문제는 서로 상호작용하여, 개인의 건강과 사회에 더욱 심각한 문제를 야기할 수 있습니다. 따라서 중독과 정신 건강 문제를 함께 고려하여 치료하는 것이 중요합니다. 중독과 정신 건강 문제 간의 관계는 상호작용을 보이며, 양측이 서로를 강화 시킬 수 있습니다. 정신 건강 문제를 가진 사람들은 디지털 매체를 통한 도피나 자아 강화의 수단으로 중독에 빠지기 쉽습니다.

우울증과 중독의 관계로는 우울증 환자들은 종종 디지털 매체에 의존하여 긍정적인 자극을 얻으려고 합니다. 그러나 지속적인 중독은 정신적인 안정성을 해치고, 우울감을 더욱 악화시킬 수 있습니다. ADHD와 중독의 관계도 살펴보자면 주의력결핍과 잉행동장애(ADHD)를 가진 사람들은 디지털 매체의 활용에 취약하며, 중독 증상이 주의력 결핍과 과잉 활동 증상을 악화시킬 수 있습니다.불안장애와 중독 역시 연관성을 갖고 있습니다. 불안장애를 겪는 사람들은 디지털 매체를 통한 소통과 정보 획득을 통해 안정성을 찾으려 할 수 있습니다. 그러나 지나친 중독은 불안을 증폭시킬 수 있습니다.

이러한 관계를 고려하여 중독과 정신 건강 문제에 대한 통합적인 치료 및 예방 방안이 필요합니다. 정신 건강 전문가의 도움을 받아 중독 문제와 함께 기존의 정신 건강 문제에 대한 치료가 이루어져야 합니다. 또한, 균형 잡힌 디지털 매체 사용 및 정신 건강 증진을 위한 적절한 프로그램이 필요합니다.

[생각해 볼 질문]

현대 사회에서 중독의 위험이 증가하는 이유는 무엇인가요?

다양한 연령층에서 나타나는 중독 증상을 예방하기 위한 방법은 무엇인가요?

중독과 정신 건강 문제의 상호작용이 있다는 것에 대해 동의합니까?

어린이와 청소년의 중독 문제

디지털 기기의 보급과 높아지는 사용시간, 인터넷의 발달로 인해 어린이와 청소년의 중독 문제가 심각해지고 있습니다. 인터넷 게임 중독, 스마트폰 중독, SNS 중독 등이 대표적인 사례입니다. 이러한 중독은 학업 성적 저하, 사회적 관계의 단절, 우울증, 불안증 등의 문제를 일으킬 수 있습니다. 디지털 기기의 사용은 어린이와 청소년의 삶에 다양한 영향을 미칩니다. 디지털 기기는 어린이와 청소년의 학습, 놀이, 사회적 관계 등에 중요한 역할을 합니다. 그러나 디지털 기기의 과도한 사용은 어린이와 청소년의 건강과 발달에 부정적인 영향을 미칠 수 있습니다. 디지털 기기의 과도한 사용으로 인해 발생할 수 있는 어린이와 청소년의 중독 문제로는 다음과 같은 것들이 있습니다.

인터넷 게임 중독: 인터넷 게임 중독은 어린이와 청소년의 가장 흔한 중독 형태 중 하나입니다. 인터넷 게임 중독으로 인해 학업 성적 저하, 사회적 관계의 단절, 우울증, 불안증 등의 문제가 발생할 수 있습니다.

스마트폰 중독: 스마트폰 중독은 어린이와 청소년에게도 심각한 문제를 일으킬 수 있습니다. 스마트폰 중독으로 인해 학업 성적 저하, 사회적 관계의 단절, 수면 장애, 비만 등의 문제가 발생할 수 있습니다.

SNS 중독: SNS 중독은 어린이와 청소년의 정서 발달에 부정적인 영향을 미칠 수 있습니다. SNS 중독으로 인해 우울증, 불안증, 자존감 저하 등의 문제가 발생할 수 있습니다.

타인과의 원만한 의사소통을 통해 자신의 자아가 만들어가는 중요한 시기에 어린이와 청소년이 다양한 미디어에 무분별하게 노출이 된다는 것은 극단적으로 표현하자면 다시는 돌아오지 않을 황금시기를 땅에 버려버리는 것과 같습니다. 이 책에서 계속적으로 강조를 하고 있는 이유도, 온 가족이 함께 디지털 문해력을 기를 수 있도록 'GPT 프로세스'를 만들어 낸 이유도 결국은 어린이와 청소년들의 보물 같은 시간을 지켜주고 싶기 때문입니다.

보편화 된 디지털 기기 사용 문화,
치명적인 영향으로 잔재한다.

디지털 기기의 보급과 인터넷의 발달로 인해 어린이와 청소년의 디지털 기기 사용은 일상화되었습니다. 한국청소년정책연구원이 2023년 전국의 초등학생, 중학생, 고등학생을 대상으로 실시한 스마트폰 사용 시간 조사 결과에 따르면, 초등학생의 하루 평균 스마트폰 사용 시간은 3시간 20분, 중학생은 4시간 50분, 고등학생은 6시간 20분에 달합니다. 이러한 조사 결과는 디지털 기기의 보급과 인터넷의 발달로 인해 어린이와 청소년의 디지털 기기 사용이 증가하고 있음을 보여줍니다. 또한, 초등학생부터 고등학생까지 모든 연령층에서 스마트폰 사용 시간이 증가하고 있음을 알 수 있습니다.

이러한 디지털 기기의 과도한 사용은 어린이와 청소년의 건강과 정신 건강에 치명적인 영향을 미칠 수 있습니다. 디지털 기기의 사용은 뇌의 도파민 분비를 증가시켜 일시적인 쾌락과 만족감을 느끼게 합니다. 그러나 시간이 지나면 더 많은 자극을 필요로 하게 되어, 과도한 사용으로 이어질 수 있습니다. 디지털 기기의 과도한 사용으로 인해 발생할 수 있는 문제로는 다음과 같은 것들이 있습니다. 디지털 기기의 사용에 몰두하다 보면, 학업에 집중하기 어려워 학업 성적이 저하될 수 있습니다. 두번째로는 디지털 기기의 사용에 몰두하다 보면, 가족, 친구, 선생님 등과 같은 사회적 관계가 단절될 수 있습니다. 마지막으로 우울증, 불안증 등의 정신 건강 문제: 디지털 기기의 과도한 사용은 우울증, 불안증 등의 정신 건강 문제를 일으킬 수 있습니다.

물론, 긍정적인 측면도 분명히 존재 합니다. 학습적인 측면에서 디지털 기기는 다양한 학습 콘텐츠를 제공하고, 학습을 보다 효과적으로 할 수 있도록 도와줄 수 있습니다. 예를 들어, 디지털 기기를 사용하면 동영상, 게임, 애니메이션 등을 통해 학습할 수 있으며, 이를 통해 학습에 대한 흥미와 몰입도를 높일 수 있습니다. 또한, 디지털 기기는 개인화된 학습을 제공할 수 있어, 각자의 학습 수준에 맞는 맞춤형 학습이 가능합니다. 그리고 디지털 기기는 다양한 정보를 제공하고, 정보를 보다 쉽게 탐색할 수 있도록 도와줄 수 있습니다.

예를 들어, 디지털 기기를 사용하면 인터넷, 도서관, 오픈소스 등 다양한 출처에서 정보를 얻을 수 있으며, 이를 통해 다양한 관점에서 정보를 이해할 수 있습니다. 또한, 디지털 기기는 정보를 보다 시각적으로 표현할 수 있어, 정보를 보다 쉽게 이해할 수 있습니다. 의사소통속에서도 중요한 역할을 하고 있는 디지털 기기는 다른 사람과 의사소통을 할 수 있는 새로운 방법을 제공할 수 있습니다. 예를 들어, 디지털 기기를 사용하면 SNS, 메신저, 화상 통화 등을 통해 다른 사람과 실시간으로 소통할 수 있으며, 이를 통해 사회적 관계를 형성하고 유지할 수 있습니다. 또한, 디지털 기기는 다양한 문화와 언어를 접할 수 있는 기회를 제공할 수 있습니다. 마지막으로 디지털 기기는 새로운 창의적인 표현 방법을 제공할 수 있습니다. 예를 들어, 디지털 기기를 사용하면 영상, 음악, 그림, 글쓰기 등을 통해 자신의 생각과 감정을 표현할 수 있으며, 이를 통해 창의력을 발휘할 수 있습니다. 또한, 디지털 기기는 다양한 기술을 접할 수 있는 기회를 제공할 수 있습니다. 미디어 리터러시 1가정 1교육을 실행 한다면 장점이 많은 순기능을 적극 활용 할 수 있습니다.

가족 환경과 디지털 도파민 중독 발생 간의 비밀스러운 관계

어린이와 청소년의 디지털 도파민 중독 발생에는 가족 환경이 중요한 영향을 미치는 것으로 알려져 있습니다. 부모의 양육 태도, 가족의 의사소통 방식, 가족의 갈등 등이 디지털 도파민 중독의 위험 요인으로 작용할 수 있습니다. 예를 들어, 부모가 자녀에게 지나치게 간섭하거나 통제하는 경우, 자녀는 가족으로부터 인정받고 사랑받고 있다는 느낌을 받지 못하게 됩니다. 이러한 경우, 자녀는 디지털 기기의 사용으로 일시적인 만족감을 얻으려고 하기 때문에, 디지털 도파민 중독에 걸릴 위험이 높아집니다. 또한, 가족 간의 의사소통이 원활하지 않은 경우, 자녀는 가족으로부터 소속감과 안정감을 느끼지 못하게 됩니다. 이러한 경우, 자녀는 디지털 기기의 사용으로 외로움과 우울감을 해소하려고 하기 때문에, 디지털 도파민 중독에 걸릴 위험이 높아집니다. 결국, 어린이와 청소년의 디지털 도파민 중독을 예방하기 위해서는 가족 환경을 개선하는 것이 중요합니다. 부모는 자녀에게 사랑과 관심을 보여주고, 가족 간의 의사소통을 활성화해야 합니다. 또한, 자녀의 디지털 기기 사용에 대해 적절한 규칙을 세우고, 자녀의 활동을 지지하고 격려해야 합니다.

부모가 디지털 매체를 과도하게 사용하거나, 자녀에 대한 감독이 부족한 경우 자녀는 부모의 행동을 본뜬 디지털 사용 양상을 형성하게 됩니다. 이러한 모델링은 자녀의 디지털 도파민 중독 발생을 촉진할 수 있습니다. 가족 간 소통 부재는 자녀들이 디지털 매체에 의존하여 감정을 표현하거나 소셜 미디어를 통해 대화를 대체하려는 경향을 높일 수 있습니다. 디지털 매체는 소통의 부재를 보충하려는 자연스러운 욕구를 유발할 수 있습니다. 가족은 디지털 사용에 대한 규칙을 공유하고, 모두가 책임을 다하며 건강한 미디어 사용 습관을 형성하는 것이 중요합니다. 일정한 디지털 휴식 시간과 가족끼리 의 활동을 통해 소통의 부재를 최소화하고 가족 구성원 간의 유대감을 강화할 수 있습니다. 그렇기 때문에 부모가 미디어리터러시에 대해 알게 되면 다음과 같은 좋은 점이 있습니다.

자녀의 미디어 이용을 보다 효과적으로 지도할 수 있습니다. 미디어리터러시는 미디어를 이해하고 비판적으로 활용하는 능력입니다. 부모가 미디어리터러시에 대해 알게 되면, 자녀가 미디어를 보다 효과적으로 이용할 수 있도록 지도할 수 있습니다. 예를 들어, 자녀가 보는 미디어의 내용을 함께 확인하고, 미디어의 정보가 정확하고 공정하게 전달되고 있는지 평가하는 방법을 가르쳐줄 수 있습니다. 또한, 자녀가 미디어를 사용하여 다양한 정보를 얻고, 창의적인 표현을 할 수 있도록 도울 수 있습니다.

자녀의 미디어 이용에 대한 걱정을 줄일 수 있습니다. 미디어 중독, 사이버 폭력, 정보 오남용 등은 자녀의 미디어 이용에 따른 부정적인 영향입니다. 부모가 미디어리터러시에 대해 알게 되면, 이러한 부정적인 영향에 대한 이해를 높일 수 있습니다. 또한, 자녀의 미디어 이용을 보다 효과적으로 관리할 수 있는 방법을 알게 되면, 자녀의 미디어 이용에 대한 걱정을 줄일 수 있습니다.

자녀와 미디어에 대한 공감대를 형성할 수 있습니다. 미디어는 현대 사회에서 중요한 역할을 하고 있습니다. 자녀는 미디어를 통해 정보를 얻고, 사회적 관계를 형성하고, 자신의 정체성을 형성합니다. 부모가 미디어리터러시에 대해 알게 되면, 자녀가 미디어를 통해 얻는 경험을 이해하고, 공감할 수 있습니다. 또한, 미디어에 대한 대화를 통해 자녀와 더 깊은 관계를 형성할 수 있습니다.

구체적인 예를 들어보면, 다음과 같은 경우가 있습니다.

자녀가 게임에 몰두하고 있다면, 부모는 게임의 장점과 단점을 함께 살펴보고, 자녀가 게임을 건강하게 즐길 수 있도록 지도할 수 있습니다.

자녀가 SNS에 중독된 경우, 부모는 SNS의 기능과 위험성을 함께 이해하고, 자녀가 SNS를 보다 건강하게 사용할 수 있도록 돕고, 자녀의 SNS 활동을 모니터링할 수 있습니다.

자녀가 유해한 콘텐츠에 노출된 경우, 부모는 유해 콘텐츠의 특성과 위험성을 함께 이해하고, 자녀가 유해 콘텐츠를 피할 수 있도록 돕고, 자녀에게 올바른 가치관을 심어줄 수 있습니다.

결론적으로, 부모가 미디어리터러시에 대해 알게 되면, 자녀의 미디어 이용을 보다 효과적으로 지도하고, 자녀의 미디어 이용에 대한 부모의 걱정을 줄이고, 자녀와 미디어에 대한 공감대를 형성할 수 있습니다. 가족의 모든 구성원들이 어떤 상호작용을 하느냐 에 따라서 디지털 사용 방향성에 어떤 영향을 미치게 되는지 알게 된 이 지점에서 바른 방향으로 나아가기 위해 제일 중요한 것은 역시나 소통이 아닐까요?

[생각해 볼 질문]

디지털 도파민 중독이 어린이와 청소년의 건강에 미치는 영향은 무엇일까요?

디지털 도파민 중독 예방을 위해 부모가 할 수 있는 효과적인 방법은 무엇일까요?

가족 환경이 어린이의 디지털 도파민 중독에 어떤 영향을 미칠 수 있나요?

04 디지털 중독 예방을 위한 가이드라인

건강한 미디어 사용 습관

디지털 시대의 도래로 미디어는 우리 삶에 깊은 영향을 미치고 있다는 것은 부정할 수 없는 현실입니다. 하지만 이러한 미디어의 영향이 건강에 부정적인 영향을 미칠 수 있기도 합니다. 본 장에서는 건강한 미디어 사용 습관을 형성하고 유지하는 방법에 대해 탐구하고자 합니다. 미디어의 다양한 형식과 콘텐츠가 우리 일상에 녹아 들었지만, 그 사용이 지나치게 되면 우리의 건강에 도전을 가져올 수 있습니다. 화면 시간의 증가와 무분별한 미디어 소비는 우리의 신체적, 정신적 건강에 부정적인 영향을 끼칠 수 있습니다.

이에 우리는 미디어 사용에 지혜롭게 대처하고, 건강한 습관을 형성하는 방법을 살펴볼 것입니다. 건강한 미디어 사용 습관은 화면 시간을 효과적으로 관리하고, 온라인 활동을 다양화하는 것에서부터 시작됩니다. 또한, 가족과의 소통을 통한 규칙 수립과 정서적 안정성의 유지가 필요합니다. 이 장에서는 미디어의 다양한 측면을 고려하여 건강한 미디어 사용의 중요성을 강조하고, 독자들에게 현명한 미디어 소비 습관을 형성하는 데 도움이 되는 실용적인 가이드를 제공할 것입니다.

또한 디지털 기기의 보급과 인터넷의 발달은 어린이와 청소년의 미디어 사용이 계속해서 증가하고 있다는 것을 뜻하기도 합니다. 또한 과도한 사용은 건강과 정신 건강에 부정적인 영향을 미칠 수 있기때문에 따라서, 어린이와 청소년은 건강한 미디어 사용 습관을 기르는 것이 중요합니다.

미디어 사용 시간 제한: 하루에 미디어를 사용하는 시간을 제한하는 것이 중요합니다. 초등학생의 경우 하루에 2시간, 중학생의 경우 하루에 3시간, 고등학생의 경우 하루에 4시간 미만으로 미디어 사용 시간을 제한하는 것이 권장됩니다.

미디어 사용 목적 설정: 미디어를 사용하는 목적을 명확히 하는 것이 중요합니다. 학습, 정보 탐색, 여가 활동 등 미디어를 사용하는 목적에 따라 적절한 미디어를 선택하고, 사용 시간을 조절해야 합니다.

미디어 사용 중 휴식 취하기: 미디어를 사용하는 중에는 1시간에 20분 정도 휴식을 취하는 것이 좋습니다. 눈을 감거나, 다른 활동을 하면서 휴식을 취하면, 미디어 사용으로 인한 눈의 피로와 집중력 저하를 예방할 수 있습니다.

유해 콘텐츠 주의: 미디어에는 폭력, 선정성, 혐오 등 유해 콘텐

츠가 포함되어 있을 수 있습니다. 유해 콘텐츠에 노출되지 않도록 주의해야 합니다.

어린이와 청소년이 건강한 미디어 사용 습관을 기르기 위해서는 부모의 역할 또한 굉장히 중요합니다. 부모는 다음과 같은 방법으로 어린이와 청소년의 미디어 사용을 지도할 수 있습니다.

미디어 사용에 대한 기준을 정하고, 이를 어린이와 청소년과 함께 공유합니다.

어린이와 청소년의 미디어 사용을 모니터링하고, 부적절한 미디어 사용에 대해 적절한 대처를 합니다.

어린이와 청소년과 함께 미디어를 활용한 다양한 활동을 하며 함께 소통합니다.

GPT프로세스 미디어 리터러시 교육과 함께 부모의 올바른 지도와 어린이와 청소년의 노력을 통해, 어린이와 청소년이 건강한 미디어 사용 습관을 기르고, 미디어를 바르게 활용할 수 있습니다.

화면 시간 제한과 휴식의 중요성

디지털 기기의 사용이 증가함에 따라 우리의 일상에서는 화면에 노출되는 시간도 증가하고 있습니다. 스마트폰, 컴퓨터, 태블릿 등 다양한 기기들을 통해 우리는 정보에 쉽게 접근할 수 있지만, 이로 인해 화면 시간이 급증하고 있습니다. 이에 따라 화면 시간을 효과적으로 관리하고 적절한 휴식을 취하는 것은 건강한 미디어 사용 습관을 형성하는 데 중요한 요소로 부각되고 있습니다. 최근 몇 년 동안 우리의 삶은 디지털 기기와의 상호작용에서 일상적으로 사용되는 시간이 크게 늘어났습니다. 특히, 스마트폰의 보편화로 많은 사람들이 화면에 노출되는 시간이 급증하고 있습니다. 이러한 급격한 변화는 눈의 피로, 수면의 질 저하, 심지어는 정신 건강 문제와 관련이 있을 수 있습니다.

화면 시간을 효과적으로 제한하는 것은 건강한 미디어 사용 습관을 형성하는 핵심 요소 중 하나입니다. 너무 많은 화면 시간은 우리의 눈 건강을 해치는데 그치지 않아, 정서적인 피로와 집중력 감소를 초래할 수 있습니다. 또한, 수면의 질을 향상시키고 신체적, 정신적 휴식을 취할 수 있는 시간을 마련하는 데에도 도움을 줄 수 있습니다. 디지털 기기의 화면을 오랫동안 바라보는 것은 눈의 피로, 집중력 저하, 수면 장애 등 다양한 부정적인 영향을 미칠 수 있습니다. 따라서, 어린이와 청소년은 화면 시간 제한과 휴식을 통해 이러한 부정적인 영향을 예방하는 것이 중요합니다.

화면 시간 제한

화면 시간 제한은 하루에 미디어를 사용하는 시간을 제한하는 것을 말합니다. 초등학생의 경우 하루에 2시간, 중학생의 경우 하루에 3시간, 고등학생의 경우 하루에 4시간 미만으로 미디어 사용 시간을 제한하는 것이 권장됩니다. 화면 시간 제한을 통해 다음과 같은 부정적인 영향을 예방할 수 있습니다.

눈의 피로: 디지털 기기의 화면은 눈에 가까이 붙여서 사용하기 때문에, 눈의 피로가 쉽게 발생할 수 있습니다. 화면 시간 제한을 통해 눈의 피로를 줄일 수 있습니다.

집중력 저하: 디지털 기기는 다양한 자극을 제공하기 때문에, 집중력을 떨어뜨릴 수 있습니다. 화면 시간 제한을 통해 집중력을 향상시킬 수 있습니다.

수면 장애: 디지털 기기의 화면은 수면 호르몬인 멜라토닌의 분비를 억제하여 수면 장애를 일으킬 수 있습니다. 화면 시간 제한을 통해 수면 장애를 예방할 수 있습니다.

화면을 오랫동안 바라보는 것뿐만 아니라, 화면을 바라보는 중간에도 휴식을 취하는 것이 중요합니다. 화면을 바라보는 중에는 1시간에 20분 정도 휴식을 취하는 것이 좋습니다. 눈을 감거나, 다른 활동을 하면서 휴식을 취하면, 미디어 사용으로 인한 눈의 피로와 집중력 저하를 예방할 수 있습니다.

휴식을 통해 다음과 같은 부정적인 영향을 예방할 수 있습니다.

눈의 피로: 화면을 바라보는 중에도 휴식을 취하면, 눈의 피로가 쌓이지 않도록 도와줍니다.

집중력 저하: 화면을 바라보는 중에도 휴식을 취하면, 집중력을 유지하는 데 도움이 됩니다.

수면 장애: 화면을 바라보는 중에도 휴식을 취하면, 수면 호르몬인 멜라토닌의 분비를 촉진하여 수면 장애를 예방하는 데 도움이 됩니다.

부모는 어린이와 청소년의 화면 시간 제한과 휴식을 지도하는 데 주의를 기울여야 합니다. 부모는 다음과 같은 방법으로 어린이와 청소년의 화면 시간 제한과 휴식을 지도할 수 있습니다.

미디어 사용에 대한 기준을 정하고, 이를 어린이와 청소년과 함께 공유합니다.

어린이와 청소년의 미디어 사용을 모니터링하고, 부적절한 미디어 사용에 대해 적절한 대처를 합니다.

어린이와 청소년과 함께 미디어를 활용한 다양한 활동을 합니다.

우리집에 휴대폰 제한 장소 만들기

1. 휴대폰 프리 존 설정: 가족이 모여 있는 주요한 장소에는 휴대폰을 사용하지 않는 존을 만들어보세요. 식사 시간이나 가족 모임 시간에는 휴대폰을 제한하고 대화에 집중할 수 있습니다.

2. 휴대폰 보관함 활용: 집 안 곳곳에 휴대폰 보관함을 만들어 두면 특정 시간 동안은 휴대폰을 보관하도록 할 수 있습니다. 이를 통해 휴대폰에 대한 의식적인 제어가 가능해집니다.

3. 공동 충전 스테이션: 가족 구성원들이 자기 방이나 개인 공간에 들어가기 전에 휴대폰을 공동 충전 스테이션에 두도록 유도해보세요. 이를 통해 자기 방에서의 외로움을 느끼지 않으면서도 휴대폰 사용을 조절할 수 있습니다.

4. 휴대폰 자유 시간 일정: 일주일에 한 번 정해진 시간 동안 가족 구성원들이 자유롭게 휴대폰을 사용할 수 있는 시간을 정합니다. 이를 통해 모두가 휴대폰을 사용하는 시간을 조절하고 규칙적인 소통을 할 수 있습니다.

5. 휴대폰 자동 꺼 놓기 앱 활용: 휴대폰에는 일정 시간 동안 자동으로 꺼지는 앱이 있습니다. 이를 활용하여 특정 시간에는 휴대폰이 자동으로 꺼지도록 설정해보세요.

6. 스크린타임 토킹 데이 : 가족구성원들이 주기적으로 모임을 약속 합니다. 함께 모여 각자 의 스크린타임의 통계를 보면서

대화를 나누고 미디어 사용 가이드라인을 세웁니다.

[생각해 볼 질문]

가족 모임이나 식사 시간에 휴대폰 사용을 제한하는 것이 필요할까요?

자유로운 휴대폰 사용 시간을 정하는 것에 대해 어떤 생각이 있나요?

가족 모두가 함께 참여할 수 있는 건강한 미디어 사용 습관을 형성하기 위해 어떤 규칙이 필요하다고 생각하시나요?

가정에서 미디어 교육의 역할

미디어 교육은 이제 가정에서도 중요한 역할을 맡고 있습니다. 현대의 디지털 시대에서 가족들은 더 이상 미디어로부터 멀리 떨어져 있을 수 없습니다. 이에 따라 부모들은 자녀들을 올바르게 인도하고, 건강한 미디어 사용 습관을 형성하도록 도와야 합니다. 가정은 아이들에게 첫 번째로 미디어를 경험하는 장소입니다. 부모들은 아이들에게 어떤 미디어를 소비할지, 얼마나 소비할지를 지도하는 역할을 합니다. 또한, 가족들 간의 소통을 높이고 공동으로 미디어를 즐길 수 있는 기회를 제공함으로써 가정은 미디어 교육의 중심지가 될 수 있습니다. 부모의 참여와 지도는 아이들이 건강한 미디어 습관을 형성하는 데 있어서 결정적인 역할을 합니다.

가정에서 미디어 교육을 통해 다음과 같은 효과를 기대할 수 있습니다.

미디어의 특징과 기능을 이해하는 데 도움이 됩니다.

미디어의 정보를 비판적으로 평가하는 데 도움이 됩니다.

미디어를 창의적으로 활용하는 데 도움이 됩니다.

미디어의 부정적인 영향으로부터 자신을 보호하는 데 도움이 됩니다.

가정에서 미디어 교육을 효과적으로 수행하기 위해서는 다음과 같은 방법을 고려할 수 있습니다.

미디어에 대한 대화를 나누세요.

미디어를 함께 시청하거나, 듣거나, 읽으세요.

미디어에 대한 질문을 던지고, 답변을 도와주세요.

미디어를 비판적으로 평가하는 방법을 가르쳐주세요.

미디어를 바르게 활용하는 방법을 가르쳐주세요.

구체적인 예를 들어보면, 다음과 같은 방법을 사용할 수 있습니다.

가족끼리 함께 영화나 TV 프로그램을 시청하면서, 영화나 TV

프로그램의 내용에 대해 대화를 나누세요.

뉴스를 함께 시청하면서, 뉴스의 내용을 이해하고, 비판적으로 평가하는 방법을 가르쳐주세요.

SNS를 함께 사용하면서, SNS의 특징과 기능을 이해하고, SNS를 바르게 활용하는 방법을 가르쳐주세요.

가정에서의 미디어 교육은 단순히 미디어의 소비에 그치지 않습니다. 올바른 미디어 교육은 아이들이 미디어를 이해하고 분석하며, 창의적으로 활용할 수 있도록 하는 것입니다. 부모들은 아이들과 함께 미디어를 즐기며, 동시에 비평적 사고와 적절한 사용법에 대한 이해를 함께 고민하는 과정에서 가정이 미디어 교육의 중심지로 거듭날 것입니다. 이는 아이들이 성장하면서 디지털 시대의 도전과 기회에 대비하는데 있어서 중요한 역할을 할 것입니다.

가족 소통과 함께하는 미디어 사용규칙

미디어 교육은 이제 가정에서도 중요한 역할을 맡고 있습니다. 현대의 디지털 시대에서 가족들은 더 이상 미디어로부터 멀리 떨어져 있을 수 없습니다. 이에 따라 부모들은 자녀들을 올바르게 인도하고, 건강한 미디어 사용 습관을 형성하도록 도와야 합니다. 가정에서의 미디어 교육이 왜 중요한지, 어떻게 부모가

이에 참여할 수 있는지 살펴보겠습니다. 가정은 아이들에게 첫 번째로 미디어를 경험하는 장소이기 때문에 부모들은 아이들에게 어떤 미디어를 소비할지, 얼마나 소비할지를 지도하는 역할을 합니다. 또한, 가족들 간의 소통을 높이고 공동으로 미디어를 즐길 수 있는 기회를 제공함으로써 가정은 미디어 교육의 중심지가 될 수 있습니다. 부모의 참여와 지도는 아이들이 건강한 미디어 습관을 형성하는 데 있어서 결정적인 역할을 합니다.

가족 소통과 함께하는 미디어 사용규칙은 가족 구성원 모두가 함께 협의하여 정하는 것이 중요합니다. 가족 구성원 모두가 참여하여 규칙을 정하면, 규칙을 지키는 데 더 동기부여가 되고, 규칙을 지키지 않을 때도 서로 이해하고 협력할 수 있습니다.

가족 소통과 함께하는 미디어 사용규칙을 정할 때 고려해야 할 사항은 다음과 같습니다.

가족 구성원의 연령과 관심사: 가족 구성원의 연령과 관심사에 따라 미디어 사용에 대한 필요성과 기대가 다를 수 있습니다. 따라서, 가족 구성원의 연령과 관심사를 고려하여 규칙을 정하는 것이 중요합니다.

미디어의 특성과 기능: 미디어의 특성과 기능을 이해하면, 미디어를 보다 안전하고 건강하게 사용할 수 있습니다. 따라서, 미디어의 특성과 기능을 고려하여 규칙을 정하는 것이 중요합니다.

사회적 규범: 사회에는 미디어 사용에 대한 사회적 규범이 존재합니다. 따라서, 사회적 규범을 고려하여 규칙을 정하는 것이 중요합니다.

가족 소통과 함께하는 미디어 사용규칙의 구체적인 예는 다음과 같습니다.

미디어 사용 시간 제한: 미디어 사용 시간은 가족 구성원의 연령과 활동량에 따라 조절할 수 있습니다.

미디어 사용 장소 제한: 미디어 사용 장소를 제한하면, 가족 구성원 간의 대화를 방해하지 않고, 미디어를 보다 집중적으로 사용할 수 있습니다.

미디어 사용 목적: 미디어를 교육, 정보 습득, 오락, 창작 등 다양한 목적으로 사용할 수 있습니다. 가족 구성원 간의 합의를 통해 미디어 사용 목적을 정하면, 미디어를 보다 효율적으로 사용할 수 있습니다.

미디어 사용 부작용 예방: 미디어 중독, 과도한 폭력 노출, 사이버 왕따 등 미디어 사용으로 인한 부작용을 예방하기 위한 규칙을 정할 수 있습니다.

가족 소통과 함께하는 미디어 사용규칙을 정하면, 다음과 같은 효과를 기대할 수 있습니다.

가족 구성원 간의 소통과 이해 증진: 미디어 사용규칙을 정하는 과정에서 가족 구성원 간의 대화를 나누면, 가족 구성원 간의 소통과 이해가 증진될 수 있습니다.

미디어 사용에 대한 합의 도출: 가족 구성원 간의 합의를 통해 미디어 사용규칙을 정하면, 가족 구성원 모두가 미디어 사용에 대해 합의할 수 있습니다.

미디어 사용의 질적 향상: 미디어 사용규칙을 통해 미디어 사용의 부작용을 예방하고, 미디어를 보다 안전하고 건강하게 사용할 수 있습니다.

부모는 가족 소통과 함께하는 미디어 사용규칙을 정하는 과정에서 다음과 같은 점을 유의해야 합니다.

규칙은 가족 구성원 모두가 지킬 수 있는 수준으로 정해야 합니다.

규칙은 가족 구성원 간의 합의를 통해 정해야 합니다.

규칙을 정할 때는 가족 구성원의 의견을 경청해야 합니다.

규칙을 정할 때는 미디어의 특성과 기능을 고려해야 합니다.

규칙을 정할 때는 사회적 규범을 고려해야 합니다.

미디어 리터러시 홈스쿨링 교육

미디어 리터러시는 현대 사회에서 필수적인 능력 중 하나로 부상하고 있습니다. 특히, 가정에서는 부모가 자녀에게 적절한 미디어 사용 습관과 비평적 사고력을 가르치는 것이 중요합니다. 미디어 리터러시 홈스쿨링 교육은 가정에서 부모가 자녀들에게 미디어의 다양한 측면을 이해하고 분석하는 방법을 가르치는 과정입니다. 가정 환경에서 이뤄지는 이러한 교육은 자녀들에게 미디어를 적절하게 활용하는 법을 배우게 하면서 동시에 가족 간의 소통과 상호 이해를 강화할 수 있습니다. 미디어 리터러시 교육을 홈스쿨링으로 실시함으로써 부모는 자녀들이 미디어에 노출될 때 어떻게 대처해야 하는지에 대한 지식을 전달할 수 있습니다. 이는 가정 내에서 건강한 미디어 환경을 조성하고, 자녀들이 미디어 속에서 더 나은 선택을 할 수 있게 돕는 것에 이바지합니다.

미디어 리터러시 홈스쿨링 교육은 부모가 자녀를 대상으로 가정에서 미디어 리터러시 교육을 실시하는 것을 말합니다. 미디어 리터러시 홈스쿨링 교육은 다음과 같은 장점이 있습니다.

자녀의 개별 수준과 관심사에 맞춘 교육이 가능합니다.

자녀와 부모가 함께 교육에 참여할 수 있습니다.

자녀가 미디어를 보다 안전하고 건강하게 사용할 수 있습니다.

그러나 미디어 리터러시 홈스쿨링 교육을 효과적으로 실시하기 위해서 고려해야 하는 것이 있습니다.교육 목표를 명확히 설정하고, 교육 내용을 자녀의 수준과 관심사에 맞게 구성합니다. 그리고 챗GPT를 다양하게 활용하여 교육합니다. 그 교육 과정을 체계적으로 관리해야 합니다.

미디어 리터러시 홈스쿨링 교육의 구체적인 예시로는 미디어의 종류, 미디어의 제작 과정, 미디어의 영향 등에 대한 교육을 실시 할 수 있고, 미디어 정보를 비판적으로 평가하는 방법에 대한 교육을 할 수 있습니다. 미디어 정보의 출처, 미디어 정보의 편향성, 미디어 정보의 사실성 등에 대한 교육을 하는 것입니다. 미디어를 창의적으로 활용하는 방법에 대한 교육 역시 좋은 예시 입니다. 미디어를 활용한 창작 활동, 미디어를 활용한 문제 해결 활동 등에 대한 교육을 실시합니다. 미디어의 부정적인 영향으로부터 자신을 보호하는 방법에 대한 교육을 진행함으로 미디어 중독, 과도한 폭력 노출, 사이버 왕따 등에서 자유로워지는 법을 배우기 좋습니다.

부모는 자녀의 미디어 사용에 관심을 가지고, 자녀와 함께 미디어에 대한 대화를 나누며, 미디어 리터러시 홈스쿨링 교육을 실시하여, 자녀가 미디어를 보다 안전하고 건강하게 사용할 수 있도록 도와야 합니다.

다음은 미디어 리터러시 홈스쿨링 교육을 위한 구체적인 활동 사례입니다.

활동 1: 미디어의 특징과 기능에 대해 알아봅시다.
미디어의 종류와 특징에 대해 알아봅니다.
미디어의 기능에 대해 알아봅니다.
미디어를 활용한 다양한 활동을 경험합니다.

활동 2: 미디어의 정보를 비판적으로 평가해 봅시다.
미디어의 정보를 수집합니다.
미디어의 정보를 분석합니다.
미디어의 정보를 평가합니다.

활동 3: 미디어를 창의적으로 활용해 봅시다.
미디어를 활용한 다양한 창작 활동을 합니다.
미디어를 활용한 새로운 방식의 의사소통을 시도합니다.

활동 4: 미디어의 부정적인 영향으로부터 자신을 보호해 봅시다.
미디어의 부정적인 영향에 대해 알아봅니다.
미디어의 부정적인 영향으로부터 자신을 보호하기 위한 방법을 익힙니다.

미디어 리터러시 홈스쿨링 교육은 가정에서 미디어 사용에 대한 긍정적이고 비평적인 관점을 형성하는 데 도움을 줄 수 있는 효과적인 방법입니다. 부모가 자녀들과 함께 미디어를 다루고 분석하는 활동은 가족 구성원들 간의 소통을 높이며, 미디어에 대한 적절한 인식과 태도를 함께 형성할 수 있습니다. 이러한 교육을 통해 자녀들은 미디어 리터러시의 중요성을 깨닫고, 그것이 삶의 다양한 측면에 어떻게 영향을 미치는지를 더 깊이 이해하게 될 것입니다.

미디어 리터러시 홈스쿨링 교육을 위한 구체적인 활동 사례 예시

활동 1: 미디어의 특징과 기능에 대해 알아봅시다.

미디어의 종류와 특징에 대해 알아봅니다. 예를 들어, 신문, 방송, 인터넷, SNS 등 다양한 미디어의 종류와 특징에 대해 알아봅니다.

미디어의 기능에 대해 알아봅니다. 예를 들어, 미디어는 정보제공, 교육, 오락, 사회 참여 등 다양한 기능을 가지고 있다는 것을 알아봅니다.

미디어를 활용한 다양한 활동을 경험합니다. 예를 들어, 신문 기사를 읽고, 방송 프로그램을 시청하고, 인터넷에서 정보를 검색하고, SNS를 사용해봅니다.

활동 2: 미디어의 정보를 비판적으로 평가해 봅시다.

미디어의 정보를 수집합니다. 다양한 미디어에서 정보를 수집합니다.

미디어의 정보를 분석합니다. 수집한 정보를 분석하여, 정보의 출처, 정보의 내용, 정보의 편향성 등을 파악합니다.

미디어의 정보를 평가합니다. 분석한 정보를 바탕으로, 정보의 신뢰성, 적합성, 객관성 등을 평가합니다.

활동 3: 미디어를 창의적으로 활용해 봅시다.

미디어를 활용한 다양한 창작 활동을 합니다. 예를 들어, 신문 기사를 바탕으로 뉴스를 만들고, 방송 프로그램을 바탕으로 영화를 만들고, 인터넷에서 정보를 바탕으로 웹사이트를 만들고, SNS를 활용하여 새로운 콘텐츠를 제작해봅니다.

미디어를 활용한 새로운 방식의 의사소통을 시도합니다. 예를 들어, 페이스북, 트위터, 카카오톡 등 다양한 SNS를 활용하여 친구들과 소통하고, 인터넷을 활용하여 전 세계 사람들과 소통해봅니다.

05
미디어 리터러시 교육의 필요성

개념과 중요성

미디어 리터러시 교육은 미디어를 이해하고, 비판적으로 활용하는 능력을 키우기 위한 교육입니다. 미디어는 신문, 잡지, TV, 영화, 게임, SNS 등 다양한 형태로 존재합니다. 미디어 리터러시 교육은 이러한 미디어의 특징과 기능을 이해하는 능력, 미디어의 정보를 비판적으로 평가하는 능력, 미디어를 창의적으로 활용하는 능력을 키워줍니다. 미디어 리터러시 교육의 중요성은 다음과 같습니다.

현대 사회에서 살아가기 위한 필수적인 역량을 키워줍니다.

미디어는 현대 사회에서 정보를 얻고, 의사소통하고, 사회적 관계를 형성하는 데 중요한 역할을 하고 있습니다. 미디어 리터러시가 부족한 경우, 미디어의 정보에 오도되거나, 미디어의 부정적인 영향에 노출될 수 있습니다. 따라서, 미디어 리터러시 교육을 통해 미디어를 올바르게 이해하고 활용할 수 있는 능력을 키우는 것이 중요합니다.

다양한 미디어를 창의적으로 활용할 수 있는 능력을 키워줍니다.

미디어는 다양한 정보를 제공하고, 다양한 경험을 가능하게 합니다. 미디어 리터러시 교육을 통해 미디어를 창의적으로 활용할 수 있는 능력을 키우면, 다양한 정보를 습득하고, 다양한 경험을 할 수 있습니다. 이는 개인의 성장과 발전에 도움이 됩니다.

미디어의 부정적인 영향으로부터 보호해 줍니다.

미디어에는 폭력, 선정성, 혐오 등 부정적인 콘텐츠가 포함되어 있을 수 있습니다. 미디어 리터러시 교육을 통해 미디어의 부정적인 영향에 대해 이해하고, 이를 예방할 수 있는 능력을 키우면, 미디어의 부정적인 영향으로부터 보호받을 수 있습니다.

미디어 리터러시 교육의 대상은 어린이, 청소년, 성인 등 모든 연령층입니다. 특히, 어린이와 청소년은 미디어를 처음 접하는 시기이기 때문에, 미디어 리터러시 교육을 통해 미디어를 올바르게 이해하고 활용할 수 있는 능력을 키우는 것이 중요합니다.

미디어 리터러시 교육의 내용은 다음과 같이 크게 세 가지로 나눌 수 있습니다.

인지적 요소: 미디어의 특징과 기능을 이해하는 능력

평가적 요소: 미디어의 정보를 비판적으로 평가하는 능력

창의적 요소: 미디어를 창의적으로 활용하는 능력

인지적 요소에 대한 교육은 미디어의 종류, 미디어의 구성 요

소, 미디어의 기능, 미디어의 영향 등을 이해하는 것을 목표로 합니다. 평가적 요소에 대한 교육은 미디어의 정보를 비판적으로 평가하는 방법, 미디어의 편향성을 파악하는 방법 등을 이해하는 것을 목표로 합니다. 창의적 요소에 대한 교육은 미디어를 창의적으로 활용하는 방법, 미디어를 사용하여 자신의 생각이나 감정을 표현하는 방법 등을 이해하는 것을 목표로 합니다.

미디어 리터러시 교육은 다양한 방법으로 진행될 수 있습니다. 교과 수업, 방과 후 교육, 온라인 교육, 캠페인 등 다양한 방법을 활용하여 미디어 리터러시 교육을 실시할 수 있습니다. 미디어 리터러시 교육은 다음과 같은 효과를 가져올 수 있습니다.

미디어를 올바르게 이해하고 활용할 수 있는 능력을 키워줍니다.

미디어의 부정적인 영향으로부터 보호해 줍니다.

다양한 미디어를 창의적으로 활용할 수 있는 능력을 키워줍니다.

개인의 성장과 발전에 도움이 됩니다.

현대 사회에서 살아가기 위한 필수적인 역량을 키워줍니다.

미디어의 부정적인 영향으로부터 자신을 보호할 수 있도록 도와줍니다.

미디어를 바르게 활용하여, 자신의 잠재력을 개발할 수 있도록 도와줍니다.

따라서, 미디어 리터러시 교육은 현대 사회에서 살아가기 위한 필수적인 역량을 키우는 데 중요한 역할을 합니다. 미디어 리터러시 교육은 다양한 방법으로 이루어질 수 있습니다. 따라서, 학교 교육, 가정 교육, 지역 사회 교육 등 다양한 방법을 통해 미디어 리터러시 교육이 활성화될 수 있도록 노력해야 합니다.

미디어 리터러시의 핵심 개념

미디어 리터러시의 핵심 개념을 이해하려면 먼저 미디어에 대한 개념과 그 역할을 명확하게 이해해야 합니다. 현대 사회에서는 다양한 미디어가 우리의 삶에 녹아들어 있으며, 이에 대한 올바른 해석과 활용이 필수적입니다. 미디어 리터러시는 이러한 도전에 대응하기 위한 핵심 역량을 갖추기 위한 중요한 토대입니다. 미디어 리터러시의 핵심 개념은 크게 두 가지 측면으로 나뉩니다. 첫째, 미디어를 해석하고 평가하는 능력으로, 이는 다양한 미디어 형식과 콘텐츠에 대한 비평적 사고와 분석 능력을 의미합니다. 둘째, 미디어를 창조하고 활용하는 능력으로, 이는 적절한 매체와 플랫폼을 활용하여 효과적으로 소통하고 표현하는 능력을 의미합니다.

미디어 리터러시의 핵심 개념은 또한 디지털 시대에 맞춘 변화와 발전을 반영합니다. 정보의 폭증과 다양한 플랫폼의 등장으로 미디어 환경은 지속적인 변화를 겪고 있습니다. 따라서 핵심 개념은 미디어의 다양성과 새로운 기술을 효과적으로 활용하는 방법에 대한 이해도를 강조합니다. 미디어 리터러시는 미디어를 이해하고, 비판적으로 활용하는 능력을 키우기 위한 교육입니다. 미디어 리터러시 교육의 핵심 개념은 다음과 같습니다.

미디어의 특징과 기능을 이해합니다.

미디어의 정보를 비판적으로 평가합니다.

미디어를 창의적으로 활용합니다.

미디어의 부정적인 영향으로부터 자신을 보호합니다.

미디어는 다양한 정보를 제공하지만, 그 정보가 모두 정확하고 신뢰할 수 있는 것은 아닙니다. 따라서, 미디어의 정보를 비판적으로 평가할 수 있는 능력이 필요합니다.

미디어의 정보를 비판적으로 평가하기 위해서는 다음과 같은 것들을 고려해야 합니다.

제작자의 의도: 미디어의 정보는 제작자의 의도가 반영된 것입니다. 따라서, 제작자의 의도를 파악하는 것이 중요합니다.

정보의 출처: 정보의 출처가 신뢰할 수 있는지 확인해야 합니다.

정보의 내용: 정보의 내용이 정확하고 객관적인지 확인해야 합니다.

정보의 편향성: 정보가 편향되지 않았는지 확인해야 합니다.

미디어는 다양한 방식으로 활용될 수 있습니다. 미디어를 창의적으로 활용하면, 자신의 잠재력을 개발하고, 새로운 가치를 창출할 수 있습니다. 미디어는 다양한 부정적인 영향을 미칠 수 있습니다. 따라서, 미디어의 부정적인 영향으로부터 자신을 보호할 수 있는 능력이 필요합니다. 미디어의 부정적인 영향으로부터 자신을 보호하기 위해서는 다음과 같은 것들을 고려해야 합니다.

미디어의 부정적인 영향을 이해합니다.

미디어 사용에 대한 규칙을 정합니다.

미디어 사용 시간을 조절합니다.

미디어에 과도하게 몰두하지 않도록 합니다.

미디어 리터러시 교육을 통해, 학생들은 미디어의 특징과 기능을 이해하고, 미디어의 정보를 비판적으로 평가하며, 미디어를 창의적으로 활용할 수 있는 능력을 키울 수 있습니다. 또한, 미디어의 부정적인 영향으로부터 자신을 보호할 수 있는 능력을 키울 수 있습니다.

리터러시와 시민성 교육의 연계

리터러시와 시민성 교육은 모두 현대 사회에서 살아가기 위한 필수적인 역량을 키우는 교육입니다. 리터러시는 미디어를 이해하고, 비판적으로 활용하는 능력을 키우는 교육이고, 시민성 교육은 민주 시민으로서 자신의 권리와 책임을 인식하고, 적극적으로 참여하는 능력을 키우는 교육입니다. 미디어 리터러시와 시민성 교육은 현대 사회에서 각자 독립적인 분야로만 인식되어 왔습니다. 그러나 두 분야는 사실상 밀접한 관련성을 갖고 있으며, 한 분야의 강화가 다른 분야에 긍정적인 영향을 미칠 수 있습니다. 이에 대한 이해는 더 나은 시민을 양성하고 미디어의 올바른 활용을 장려하는 데 중요합니다.

리터러시와 시민성 교육은 상호보완적인 특성을 지니고 있습니다. 미디어 리터러시는 다양한 미디어 형식을 이해하고 분석하는 능력을 강조하며, 시민성 교육은 인간권, 다양성 존중, 사회참여 등의 개념을 강조합니다. 두 분야의 융합은 개인이 미디어를 올바르게 해석하고 그에 따라 시민적으로 행동하는데 도움을 줍니다. 미디어 리터러시와 시민성 교육이 연계될 경우, 개인은 미디어 환경에서 자신의 권리와 책임을 인식하게 되며, 동시에 사회적인 문제에 대한 인식과 참여가 증가할 것입니다. 예를 들어, 뉴스 미디어를 비평적으로 읽고 이를 토대로 자신의 의견을 형성하는 능력은 시민적 참여를 촉진합니다.

리터러시 교육과 시민성 교육은 다음과 같은 측면에서 연계될 수 있습니다.

정보의 이해와 비판적 평가: 미디어는 다양한 정보를 제공하지만, 그 정보가 모두 정확하고 신뢰할 수 있는 것은 아닙니다. 따라서, 미디어의 정보를 이해하고 비판적으로 평가하는 능력은 정보의 홍수 속에서 올바른 의사 결정을 내리는 데 필수적입니다. 또한, 미디어를 통해 다양한 사회 문제에 대한 정보를 접하게 되면, 시민으로서 사회 참여에 대한 관심과 의식을 높일 수 있습니다.

의사소통과 상호 이해: 미디어는 사람들의 의사소통을 돕는 중요한 도구입니다. 미디어를 효과적으로 활용하기 위해서는 의사소통의 원리와 방법을 이해하고, 타인의 입장을 이해하는 능력이 필요합니다. 이러한 능력은 다양한 의견을 수렴하고, 합의를 도출하는 데 도움이 될 수 있습니다.

창의적 표현과 문제 해결: 미디어는 자신의 생각과 감정을 표현하고, 새로운 가치를 창출하는 데 활용될 수 있습니다. 미디어를 창의적으로 활용하기 위해서는 다양한 표현 방법을 이해하고, 문제 해결 능력을 키워야 합니다. 이러한 능력은 시민으로서 자신의 권리를 주장하고, 사회 문제를 해결하는 데 도움이 될 수 있습니다.

따라서, 리터러시 교육과 시민성 교육은 서로 유기적으로 연계되어야 합니다. 리터러시 교육을 통해 미디어를 이해하고, 비판적으로 활용할 수 있는 능력을 키운다면, 시민성 교육을 통해 민주 시민으로서 자신의 권리와 책임을 인식하고, 적극적으로 참여하는 능력을 키울 수 있습니다. 리터러시와 시민성 교육은 함께 발전함으로써 미디어 환경에서 더 강력하고 책임감 있는 시민을 양성할 수 있습니다. 이러한 융합은 교육 시스템에서 중요한 역할을 수행하며, 독자들은 이 책을 통해 양 분야의 연계성을 명확히 이해하고 실제 적용할 수 있는 능력을 기를 것입니다.

[생각해 볼 질문]

미디어 리터러시 교육의 중요성은 무엇인가요?

리터러시 교육과 시민성 교육을 연계하기 위한 구체적인 방법은 무엇이 있나요?

미디어 리터러시 교육을 통해 기대할 수 있는 효과는 무엇인가요?

교육의 효과

미디어 리터러시 교육은 참여적 학습과 경험 중심 교육의 한 예로 볼 수 있습니다. 학습자들은 미디어를 분석하고 비평하며, 실제로 참여하고 창작하는 과정을 통해 중요한 능력을 키웁니다. 이러한 활동은 학문적 성과뿐만 아니라 실생활에서의 능력 향상에도 기여합니다. 교육의 효과 중 하나는 미디어에 대한 올바른 이해와 평가 능력의 향상입니다. 학습자들은 다양한 미디어 형식과 콘텐츠를 분석함으로써 미디어 메시지의 다양성을 이해하고, 그에 대한 비평적 사고력을 키워나갑니다. 이는 학문적 성과뿐만 아니라 개인의 미디어 경험에 대한 더 깊은 이해를 가져옵니다.

교육의 다른 효과는 참여적 학습을 통한 학습 결과와 참여도의 증가입니다. 미디어 리터러시 교육은 학습자들에게 미디어와 상호작용하는 방법을 직접 체험하게 합니다. 이는 학습의 활용 가능성을 높이고, 개인의 창의성과 비판적 사고력을 더욱 강화합니다. 교육은 개인과 사회에 다양한 효과를 미칩니다. 교육의 효과는 크게 다음과 같이 나눌 수 있습니다.

개인의 효과 교육 : 개인의 지식, 능력, 태도 등을 향상시켜, 개인의 삶의 질을 높이는 데 기여합니다. 구체적으로는 다음과 같은 효과를 기대할 수 있습니다.

지식과 정보의 습득: 교육을 통해 다양한 지식과 정보를 습득할 수 있습니다. 이는 개인의 이해력과 사고력, 문제 해결 능력 등을 향상시킵니다.

능력의 개발: 교육을 통해 다양한 능력을 개발할 수 있습니다. 이는 개인의 직업적 역량, 사회 참여 역량 등을 향상시킵니다.

태도의 형성: 교육을 통해 올바른 태도를 형성할 수 있습니다. 이는 개인의 삶의 가치관과 윤리관을 형성하는 데 기여합니다.

사회의 효과 교육 : 사회의 발전에 기여합니다. 구체적으로는 다음과 같은 효과를 기대할 수 있습니다.

인적 자원의 양적 및 질적 향상: 교육을 통해 인적 자원의 양과 질이 향상됩니다. 이는 사회의 경제적 발전과 사회 문제 해결에 기여합니다.

사회적 통합과 갈등 완화: 교육은 사회적 통합과 갈등 완화에 기여합니다. 이는 사회의 안정과 발전에 기여합니다.

문화의 발전: 교육은 문화의 발전에 기여합니다. 이는 사회의 다양성과 창의성을 증진시킵니다.

미디어 리터러시 교육의 효과는 학문적 성과 뿐만 아니라 참여적 학습을 통한 경험과 결과의 증가에도 나타납니다. 미디어 환경이 계속해서 진화함에 따라, 미디어 리터러시 교육은 더욱 중요해지고 있습니다. 이를 통해 학습자들은 미디어의 다양성에 대한 올바른 인식을 갖게 되며, 이는 현대 사회에서 요구되는 핵심 역량 중 하나로 부상하고 있습니다.

미디어 리터러시 교육의 긍정적 영향

미디어 리터러시 교육이 개별 및 사회적 차원에서 어떤 긍정적인 영향을 가져오는지 살펴보겠습니다. 미디어 리터러시 교육은 다양한 측면에서 긍정적인 영향을 미치며, 이는 학문적 성과와 개인의 미디어 경험을 향상시킵니다. 미디어 리터러시 교육은 첫째로 학문적 성과에 긍정적인 영향을 미칩니다. 학습자들은 미디어 분석 및 비평의 기술을 배우면서 정보를 효과적으로 평가하고 해석하는 능력을 향상시킵니다. 이는 학문적 성과뿐만 아니라 일상 생활에서의 의사 결정에도 도움이 됩니다. 둘째로, 미디어 리터러시 교육은 개인의 미디어 경험을 더 풍부하게 만듭니다. 학습자들은 다양한 미디어 형식과 콘텐츠를 이해하고 즐길 수 있는 능력을 갖추게 됩니다. 이는 더 넓은 시각에서 세계를 이해하고 창의적으로 표현하는 데 도움이 됩니다.또한, 미디어 리터러시 교육은 학습자들이 미디어 메시지에 대한 비평적 사고를 개발하도록 도와줍니다. 학습자들은 미디어가 전달하는 정보의 신뢰성을 판단하고 다양한 시각에서의 정보를 수용하는 능력을 키워나갑니다. 이는 사회적 차원에서 정보의 정확성을 유지하고 사회적 토론에 참여하는 데 도움을 줍니다.

미디어 리터러시 교육을 받은 사람은 미디어의 특징과 기능을 이해하고, 미디어의 정보를 비판적으로 평가할 수 있기 때문에, 미디어를 보다 효과적으로 사용할 수 있습니다. 예를 들어, 미디어를 통해 제공되는 정보를 보다 정확하고 신뢰성 있게 이해할 수 있고, 미디어의 부정적인 영향으로부터 자신을 보호할 수 있습니다. 미디어 리터러시 교육을 받은 사람은 미디어의 부정적인 영향에 대한 이해와 대처 능력을 키울 수 있기 때문에, 미디어의 부정적인 영향으로부터 자신을 보호할 수 있습니다. 예를 들어, 미디어의 선정성, 폭력성, 편향성에 대한 이해를 바탕으로, 미디어의 부정적인 영향으로부터 자신을 보호할 수 있습니다. 미디어 리터러시 교육을 받은 사람은 미디어를 통해 사회에 대한 이해를 높이고, 사회 문제에 대해 관심을 갖고 참여할 수 있는 능력을 키울 수 있습니다. 예를 들어, 미디어를 통해 사회의 다양한 문제에 대해 정보를 얻고, 미디어를 통해 사회 문제 해결을 위한 활동에 참여할 수 있습니다. 창의적 사고력을 향상시킬 수 있습니다. 미디어 리터러시 교육을 받은 사람은 미디어를 다양한 방식으로 활용하여, 새로운 아이디어를 도출하고, 새로운 가치를 창출할 수 있는 능력을 키울 수 있습니다. 예를 들어, 미디어를 통해 새로운 콘텐츠를 제작하거나, 미디어를 통해 사회 문제를 해결하기 위한 새로운 방법을 모색할 수 있습니다.

미디어 리터러시 교육은 학문적 성과뿐만 아니라 개인의 미디어 경험과 비평적 사고 능력에도 긍정적인 영향을 미칩니다. 더 나아가, 이러한 긍정적인 영향은 개별 학습자뿐만 아니라 사회적인 수준에서도 지속적으로 확산되어 현대 사회의 지능적이고 창의적인 시민들을 양성하는 데 기여합니다.

학문적 성과와 미디어 리터러시 간의 관계

미디어 리터러시는 첫째로 학문적 성과를 향상시키는데 기여합니다. 학습자들은 미디어 리터러시 교육을 통해 미디어 메시지를 분석하고 비평하는 기술을 개발하게 됩니다. 이는 정보의 정확성을 평가하고 다양한 시각에서의 정보를 이해하는데 도움이 됩니다. 따라서, 학문적 성과를 향상시키는 핵심 능력 중 하나로 꼽힙니다. 둘째로, 미디어 리터러시는 학문적인 권위를 의심하고 다양한 의견을 수용하는 태도를 형성하는 데 기여합니다. 학습자들은 다양한 미디어 형식과 콘텐츠를 이해하면서 다양성과 포용성에 대한 인식을 높이게 됩니다.

이러한 태도는 학문적 성과뿐만 아니라 사회적 상호작용에서도 긍정적인 영향을 미칩니다. 마지막으로, 미디어 리터러시는 학습자들이 자유로운 창의적 사고를 발휘하는데 도움을 줍니다. 미디어 메시지에 대한 비평적 사고를 통해 학습자들은 자신의 의견을 더욱 강력하게 표현할 수 있게 되며, 이는 학문적 성과를 높이는 데에 긍정적인 영향을 미칩니다.

학문적 성과와 미디어 리터러시 간의 관계는 양방향으로 나타납니다. 즉, 학문적 성과가 미디어 리터러시 향상에 기여할 수 있고, 미디어 리터러시 향상이 학문적 성과 향상에 기여할 수 있습니다. 정보 처리 능력의 향상 됩니다. 학문적 성과를 거두기 위해서는 다양한 정보를 수집하고, 분석하고, 활용하는 능력이 필요합니다. 이러한 정보 처리 능력은 미디어 리터러시의 핵심 역량 중 하나입니다. 따라서, 학문적 성과를 거둔 사람은 미디어의 정보를 보다 효과적으로 처리할 수 있는 능력을 갖추게 됩니다. 비판적 사고 능력의 향상으로 학문적 성과를 거두기 위해서는 다양한 정보를 비판적으로 평가할 수 있는 능력이 필요합니다. 이러한 비판적 사고 능력은 미디어 리터러시의 또 다른 핵심 역량입니다. 따라서, 학문적 성과를 거둔 사람은 미디어의 정보를 보다 비판적으로 평가할 수 있는 능력을 갖추게 됩니다. 창의적 사고 능력도 향상됩니다. 학문적 성과를 거두기 위해서는 새로운 아이디어를 도출하고, 새로운 가치를 창출할 수 있는 능력이 필요합니다. 이러한 창의적 사고 능력은 미디어 리터러시의 중요한 역량 중 하나입니다. 따라서, 학문적 성과를 거둔 사람은 미디어를 보다 창의적으로 활용할 수 있는 능력을 갖추게 됩니다.

문해력 그 다음은 디지털 문해력

문해력은 언어 또는 글을 이해하고 해석하는 능력을 나타냅니다. 이것은 다양한 형태의 글, 텍스트, 문서, 그림, 도표 등을 이해하고 평가하는 데 관련이 있습니다. 문해력은 정보를 추출하고 해석하는 능력뿐만 아니라 비평적으로 사고하고, 내용을 분석하며, 새로운 지식을 구축하는 등 다양한 인지적 능력을 포함합니다. 문해력은 학문적인 성취뿐만 아니라 일상생활에서의 의사소통과 의사결정에도 중요한 역할을 합니다. 또한, 디지털 문해력은 이러한 능력을 디지털 환경에서 효과적으로 발휘할 수 있는 능력을 말하며, 현대 사회에서는 컴퓨터, 스마트폰, 인터넷과 같은 디지털 도구들이 더욱 흔히 사용되고 있기 때문에 중요성이 더 부각되고 있습니다.

디지털 문해력은 이러한 문해력을 디지털 환경에서 발휘할 수 있는 능력을 말합니다. 즉, 디지털 문해력은 디지털 기기와 플랫폼을 효과적으로 사용할 수 있고, 디지털 정보를 비판적으로 평가하고, 디지털 콘텐츠를 창의적으로 제작할 수 있는 능력을 말합니다. 디지털 문해력은 현대 사회에서 필수적인 역량입니다. 디지털 기기와 플랫폼은 우리의 삶의 모든 영역에서 사용되고 있기 때문입니다. 우리는 디지털 기기를 사용하여 정보를 검색하고, 소통하고, 학습하고, 일하고, 여가를 즐깁니다. 따라서, 디지털 문해력을 갖추지 못한 사람은 현대 사회에서 소외될 수 있습니다.

그렇기 때문에 디지털 문해력은 현대 사회에서 필수적인 능력으로 자리매김하고 있습니다. 전통적인 문해력뿐만 아니라 디지털 환경에서 정보를 이해하고 활용하는 능력이 요구되고 있습니다. 디지털 문해력은 정보기술이 발전함에 따라 필수적인 역량으로 자리매김하고 있습니다. 디지털 문해력은 미디어 리터러시와 밀접한 관련이 있습니다. 미디어를 통해 전달되는 다양한 형태의 정보를 이해하고 분석하는 과정에서 디지털 문해력이 요구됩니다. 또한, 미디어에서 얻은 정보를 효과적으로 활용하려면 디지털 도구와 플랫폼을 능숙하게 다뤄야 합니다. 이러한 점에서 디지털 문해력은 미디어 리터러시 교육의 일부로 간주될 필요가 있습니다. 디지털 문해력은 지속적으로 발전하고 있는데, 향후에는 인공지능과의 상호작용, 빅데이터 활용, 사이버 보안 등 새로운 측면이 강조될 것으로 예상됩니다. 이에 학습자들은 차세대 디지털 문해력을 키우는 것이 중요하며, 교육 시스템도 이러한 변화에 대응하는 방안을 모색해야 합니다.

문해력과 디지털 문해력의 상관관계

문해력과 디지털 문해력은 서로 밀접한 관련이 있습니다. 문해력은 정보를 읽고, 이해하고, 활용할 수 있는 능력을 말하며, 디지털 문해력은 이러한 문해력을 디지털 환경에서 발휘할 수 있는 능력을 말합니다. 따라서, 문해력을 갖춘 사람은 디지털 문해력을 습득하기에 유리합니다.

구체적인 예를 들어 살펴보면, 다음과 같은 관계가 있습니다.

정보 접근 및 활용: 문해력을 갖춘 사람은 다양한 정보에 접근하고 활용할 수 있는 능력을 가지고 있습니다. 이는 디지털 환경에서도 마찬가지입니다. 디지털 문해력을 갖춘 사람은 디지털 기기와 플랫폼을 사용하여 다양한 정보를 효과적으로 접근

하고 활용할 수 있습니다.

비판적 사고: 문해력을 갖춘 사람은 정보를 비판적으로 평가할 수 있는 능력을 가지고 있습니다. 이는 디지털 환경에서도 마찬가지입니다. 디지털 문해력을 갖춘 사람은 디지털 정보를 비판적으로 평가하여 허위 정보와 선동에 빠지지 않고, 올바른 정보를 선택할 수 있습니다.

창의적 표현: 문해력을 갖춘 사람은 창의적으로 표현할 수 있는 능력을 가지고 있습니다. 이는 디지털 환경에서도 마찬가지입니다. 디지털 문해력을 갖춘 사람은 디지털 기기와 플랫폼을 사용하여 창의적인 콘텐츠를 제작할 수 있습니다.

다음은 이러한 관계를 구체적인 예시로 설명한 것입니다.

정보 접근 및 활용

문해력을 갖춘 사람은 다양한 매체를 통해 정보를 접근하고 활용할 수 있습니다. 예를 들어, 책, 신문, 잡지, 방송, 인터넷 등을 통해 정보를 얻을 수 있습니다. 디지털 문해력을 갖춘 사람은 이러한 매체뿐만 아니라, 디지털 기기와 플랫폼을 통해서도 정보를 접근하고 활용할 수 있습니다. 예를 들어, 검색 엔진, SNS, 온라인 강의 등을 통해 정보를 얻을 수 있습니다.

비판적 사고

문해력을 갖춘 사람은 정보를 비판적으로 평가할 수 있습니다.

예를 들어, 글의 논리적 구조를 파악하고, 정보의 출처를 확인하고, 편향성을 식별할 수 있습니다. 디지털 문해력을 갖춘 사람은 이러한 능력을 바탕으로 디지털 정보를 비판적으로 평가할 수 있습니다. 예를 들어, 디지털 기사의 사실 여부를 확인하고, SNS에 게시된 정보의 신뢰성을 평가할 수 있습니다.

창의적 표현

문해력을 갖춘 사람은 창의적으로 표현할 수 있습니다. 예를 들어, 글을 쓰고, 그림을 그리고, 음악을 연주하고, 이야기를 만들 수 있습니다. 디지털 문해력을 갖춘 사람은 이러한 능력을 바탕으로 디지털 기기와 플랫폼을 사용하여 창의적인 콘텐츠를 제작할 수 있습니다. 예를 들어, 블로그를 운영하고, 유튜브 영상을 제작하고, 웹사이트를 개발할 수 있습니다.

이러한 예시를 통해 문해력과 디지털 문해력의 상관관계를 이해할 수 있습니다. 문해력을 갖춘 사람은 디지털 문해력을 습득하기에 유리하며, 디지털 문해력을 갖춘 사람은 문해력을 더욱 향상시킬 수 있습니다. 따라서, 모든 사람들이 문해력과 디지털 문해력을 갖추도록 노력하는 것이 중요합니다.

책에 적힌 글 보다 스마트기기를 더 많이 보게 될 우리 아이들

오늘날의 아이들은 태어나면서부터 디지털 기기에 둘러싸여 있습니다. 부모님과 함께 스마트폰을 사용하고, 유치원과 학교에서는 태블릿을 사용합니다. 아이들은 디지털 기기를 통해 다양한 정보를 접하고, 새로운 기술을 습득합니다. 이러한 추세는 앞으로 더욱 가속화될 것으로 예상됩니다. 스마트기기의 가격이 저렴해지고, 사용이 편리해지면서, 아이들이 디지털 기기를 사용하는 시간이 더욱 늘어날 것입니다. 잘 활용 할 줄 안다면 우리 아이들의 문해력 발달에 긍정적인 영향을 미칠 수 있습니다. 디지털 기기를 통해 아이들은 다음과 같은 경험을 할 수 있습니다.

다양한 정보를 접할 수 있습니다. 디지털 기기를 통해 아이들은 책, 신문, 잡지, 방송, 인터넷 등 다양한 매체에서 정보를 얻을 수 있습니다. 이러한 다양한 정보에 접함으로써 아이들의 사고력과 이해력이 향상될 수 있습니다.

창의적으로 표현할 수 있습니다. 디지털 기기를 통해 아이들은 그림, 글, 음악, 영상 등 다양한 방식으로 자신을 표현할 수 있습니다. 이러한 창의적인 표현은 아이들의 상상력과 창의력을 키우는 데 도움이 됩니다.

협력 학습을 할 수 있습니다. 디지털 기기를 통해 아이들은 다른 친구들과 함께 온라인 게임을 하거나, 프로젝트를 수행할 수 있습니다. 이러한 협력 학습은 아이들의 의사소통 능력과 문제 해결 능력을 향상시키는 데 도움이 됩니다.

하지만, 디지털 기기의 지나친 사용은 아이들의 문해력 발달에 부정적인 영향을 미칠 수도 있습니다. 디지털 기기를 지나치게 사용하면 다음과 같은 문제가 발생할 수 있습니다.

주의력 결핍과 과잉 행동 장애(ADHD) 발생 위험 증가: 디지털 기기는 아이들의 주의력을 산만하게 만들고, 충동적인 행동을 유발할 수 있습니다. 이러한 문제는 ADHD 발생 위험을 증가시킬 수 있습니다.

독서 능력 저하: 디지털 기기 화면을 보는 것은 책을 읽는 것과는 다른 방식으로 뇌를 자극합니다. 디지털 기기 화면을 장시간 보게 되면, 아이들의 독서 능력이 저하될 수 있습니다.

사회성 저하: 디지털 기기를 사용하면 다른 사람과 직접 소통하는 기회가 줄어듭니다. 이러한 소통의 부족은 아이들의 사회성을 저하시킬 수 있습니다.

이러한 문제를 해결하기 위해서는 미디어 리터러시 교육이 필요합니다. 미디어 리터러시 교육은 디지털 기기를 바람직한 방식으로 사용하고, 디지털 정보를 비판적으로 평가하는 능력을 키우는 교육입니다. 디지털 기기의 올바른 사용법을 제시합니다. 아이들은 디지털 기기를 지나치게 사용하지 않고, 바람직한 방식으로 사용할 수 있습니다. 아이들은 디지털 정보를 비판적으로 평가하여 허위 정보와 선동에 빠지지 않고, 올바른 정보를 선택할 수 있습니다. 아이들은 디지털 기기를 사용하여 창의적인 콘텐츠를 제작할 수 있습니다.

미디어 리터러시 교육은 아이들이 디지털 기기를 통해 얻을 수 있는 긍정적인 영향은 극대화하고, 부정적인 영향은 최소화하는 데 도움이 됩니다. 따라서, 오늘날의 아이들이 디지털 기기를 바람직한 방식으로 사용하고, 올바른 정보를 선택하며, 창의적인 콘텐츠를 제작할 수 있도록 미디어 리터러시 교육이 적극적으로 이루어져야 합니다.

< 이쯤에서 해보는 우리집 이야기 - 미디어교육은 언제부터 시작했을까? >

우리집에는 매일 '그냥' 해야 하는 루틴이 있습니다. 왜 해야 하는지, 양을 좀 줄일 수는 없는지 그런 생각을 하는게 아니라 '자고로 학생이라면 무조건 하는 루틴'으로 자리잡고 있는 루틴입니다. 그렇다고 해서 아이가 태어남과 동시에 생긴 루틴은 아닙니다. 솔직히 말씀드리면 이제 생긴지 1년이 되어가고 있습니다. 첫째의 초등학교 입학을 앞두고 대도시로 이사를 오게 되었고, 아이가 만5세가 될 때까지 제가 간과하고 있었던 사실이 있다는 걸 알게 되었습니다.

우선 함께 독서를 많이 하지 못한 것에 대한 후회가 생겼습니다. 어떤 후회가 들었냐면 어렸을 때부터 책 또는 글을 읽는다는 행위가 청소년기, 성인이 되어서까지 어떤 영향을 미치는지 누구보다 잘 알면서도 아이가 어리다는 이유로 나중으로 미뤘던 것에 대한 후회였습니다. 그러니 영어는 오죽했을까요? 같이 책을 읽어주거나 혹은 소리를 들려 준다 거나 하는 흔히 말하는 '좋은 인풋'이 없었고, 알고 보니 이미 다른 또래 친구들은 알파벳이 친근한 상태라는 것을 알게 되고, 급해진 마음에 초등영어를 가르치고 있는 지인에게 아무것도 모르는 우리 예비 초등을 위해 제가 무엇을 어떻게 해줘야 하는지 SOS 요청을 하였습니다.

"모국어가 이미 자리를 많이 잡았기 때문에, 그냥 듣기만 하는 영어는 듣고 싶지 않아 할 테니 아주 쉬운 단계의 파닉스관련 영어동영상을 3개월간 하루에 3시간씩 보여줘 보시면 인풋양이 많아서 효과를 볼 수 있을 수 있을거에요" 그래서 저는 알파***이라는 유명한 파닉스관련 영국 동영상을 할 수 있는 한 많이 보여주기 시작합니다. 그리고 정확히 2달이 되었을 때 orange를 읽는 아이를 보고 와! 이게 바로 배움의 힘이구나!라는 것을 느끼게 되었습니다.

그렇게 저는 '다른 건 몰라도 독서(한글 책)와 영어 만큼은 꼭 해야 해..' 라는 생각이 확고 해졌고 완성이 된 우리집 루틴은 아래와 같습니다.

어린이신문 1장 또는 책 한 챕터 읽기

현재 수준에 맞는 영어책 읽기

영어 비디오 30분 시청하기

이 3가지는 매일 무조건 하는 우리집의 루틴이 되었습니다. 이 루틴을 적용하고 명확하게 알게 된 것이 있습니다. '읽기'라는 것은 결국 '이해력'에 직결 된다는 것입니다. 왜냐하면 아이는 유일하게 영어책을 읽는 학원에 다니고 있는데 학원원장님께서 처음 영어 기관에 다니는 아이가 맞는지 또 받아드리는 속도, 흡수하는 속도가 처음 치고는 굉장히 빠른편인데 집에서 따로 뭐 하는지 물어보신 일이 있습니다. 그래서 우리집에서는 매일 독서를 하도록 하고 있다고 답했고, 선생님은 역시 한글 책 읽기에 익숙한 친구들이 영어책 읽기에서도 두각을 나타난다며 이야기를 해 주셨을 때에 더욱 분명하게 '읽기'에 대한 확고함이 생겼습니다.

문해력에 대한 이야기를 하다 보니 직접 아이를 키우는 입장으로써 '읽기'의 중요성을 누구보다 느끼고 있었던 입장에서 '미디어를 제대로 읽는 방법'까지 왜 이렇게 중요하게 생각을 하게 되었는지 짧게 나마 이야기를 드려볼까 합니다. 사실 저는 2012년에 미디어교육의 중요성을 알게 되고 강사로 활동하게 됩니다. 컴퓨터 그리고 미디어트와 굉장히 밀접한 전공을 한 저의 방향성이 제작보다는 교육 쪽으로 더 기울게 되었고, '미디어교육'이라는 것을 알게 된 이후부터 끊임없는 관심과 연구를 하게 되었습니다.

수업을 하면서 만나는 미취학아동에서 시니어분들까지 다양한 연령대를 통해 현재진행형의 미디어교육부터 미래지향적인 방향까지도 바라보게 되었던 그 때, 부모가 되었고 부모가 되어 보니 저의 역할에 대해 더 분명해졌고, 내 아이들에게 미디어교육을 직접 적용해보게 되었고, 그 시간들이 더해져 이렇게 책을 쓰게 되지 않았나 생각해 봅니다.

첫째 아이가 태어나 순간부터 저의 '엄마 표 미디어 교육'은 시작 되었습니다. 지금 초등학교 1학년, 유치원생인 둘째 모두 어떤 미디어를 보아도 제가 '끄는 시간이야'라고 이야기하면 곧장

끕니다. 저는 미디어를 그만 보여주기 위해 아이와 실랑이 하지 않습니다. 또한 '실제인물'이 나오는 영상은 '아직 시청 할 수 없다'는 기준이 세워져 있기 때문에 TV방송이 지나가다 '실제인물'이 출연하는 프로그램이 나오더라도 '사람이 나오는 건 내가 보는게 아니야'라며 스스로 그 화면을 넘기고 절제합니다.

또 하나는 '무분별하게' 만화 스토리를 받아드리지 않습니다. 또 예를 들어보면 '귀신'을 '캐릭터화'해서 나오는 만화들이 상당히 많습니다. 우리집에서는 '00아파트'는 특히나 퇴출에 가깝습니다. 거기에 나오는 내용은 실제가 아니며, '귀신'을 형상화 했기 때문에 아무리 재밌어도 정서적으로 그다지 좋지 않은 주제라는 것을 온 가족이 모두 알고 있기 때문에 그 관련한 미디어는 어떤 것도 소비하고 있지 않습니다. 마찬가지로 TV에서 나와도 시청하지 않고 넘어갑니다. 그 외 여러가지가 있지만 이 정도만 이야기하도록 하겠습니다.

아이를 두 명이상 키워 보신 분들은 모두 공감 하시겠지만 아무리 같은 배에서 태어났어도 달라도 너무 다릅니다. 정말 매순간 심지어 오늘 저녁메뉴 정하는 것 조차도 의견조율이 어려운게 형제,자매,남매지간 입니다. 이렇게 서로 다른 두 아이가 '미디어'만큼은 똑같은 기준이 있고, 그 기준을 둘 다 잘 따른다는 것은 아이들의 기질 때문이 아니라 어떤 아이여도 가정에서 건강한 미디어 활용 시스템을 갖추면 된 다는 말을 대신 하는 것이 아닐까요?

이제 제가 왜 이 책을 이토록 쓰고 싶어했으며, 각 가정마다 쉬운 방법으로 '미디어 리터러시 교육'을 해야 한다고 강조하는지 저의 마음이 조금은 전달이 되었는지 모르겠습니다만, 부디 모든 아이들이 디지털기기에 잡아 먹히는 것이 아니라 디지털 기기를 '잘' 활용하길 바라는 마음에서 시작 된 것이 진심임을 알아주시고 같이 동참해 주십사부탁을 드려 봅니다.

다시 한 번 '읽기'를 강조한 제 이야기의 핵심을 말씀드리자면 긴 글, 짧은 글, 종이에 써 있는 글, 모니터 화면 속 글 등등 상관없이 우리가 '잘' 읽는 다는 것은 '문맥'을 파악하는 '능력'이고 그 능력이 '주체적인 생각'을 하게 만드는 '힘'이라고 생각하기 때문에 쉽게 말해 '디지털 미디어 읽기 교육'이 필요하다는 것 입니다.

06
챗GPT를 활용한 미디어 리터러시 교육 방법

활용 개요

미디어는 우리에게 정보를 제공하고, 지식을 습득하게 하며, 다양한 경험을 하게 해줍니다. 하지만, 미디어는 때때로 왜곡된 정보나 편향된 시각을 전달하기도 합니다. 따라서, 미디어를 올바르게 이해하고 비판적으로 평가하는 능력, 즉 디지털 문해력은 매우 중요합니다. 디지털 문해력 교육은 학생들이 미디어를 올바르게 이해하고 비판적으로 평가할 수 있는 능력을 키우기 위한 교육입니다. 디지털 문해력 교육은 다양한 방법으로 이루어질 수 있지만, 최근에는 챗GPT와 같은 인공지능을 활용한 교육이 주목받고 있습니다. 챗GPT는 OpenAI에서 개발한 대규모 언어 모델(LLM)입니다. 텍스트와 코드의 방대한 데이터 세트로 훈련되어 다양한 종류의 창의적인 콘텐츠를 생성할 수 있습니다.

챗GPT를 활용한 교육의 장점 챗GPT는 상호작용을 기반으로 한 교육 방법을 통해 학습자들이 미디어의 복잡한 세계를 보다 쉽게 이해하도록 돕습니다. 대화 중심의 학습은 참여도를 높이고, 적극적인 학습 경험을 제공합니다. 더불어 가족 내에서 챗GPT를 활용하면 미디어 리터러시 교육이 더욱 효과적으로 이루어질 수 있습니다. 부모와 자녀 간의 대화를 통해 가정에서도 미디어 교육의 중요성을 공유하고, 함께 새로운 지식을 탐험할 수 있습니다. 챗GPT를 활용한 미디어 리터러시 교육은 부모와 자녀 간의 소통 강화를 통해 더욱 효과적으로 이루어집니다. 대화를 통해 생기는 교감은 자녀의 학습 경험을 증진시키고, 부모는 자녀의 관심사를 더 잘 파악할 수 있습니다.

챗GPT의 기술적 특징

인공 지능의 발전은 현대 사회를 근본적으로 변화시키고 있으며, 그 중에서도 챗GPT는 자연어 처리 분야에서 혁신적인 성과를 이뤄내고 있습니다. 지금부터 챗GPT의 기술적 특징에 대해 살펴보고, 이것이 어떻게 미디어 리터러시 교육에 기여할 수 있는지 알아보겠습니다. 첫번째 주요 특징 중 하나는 자연어를 이해하고 생성하는 능력입니다. 대화 형식의 인터페이스를 통해 사용자와 상호작용하며 풍부한 언어 모델을 기반으로 자동으로 텍스트를 생성합니다. 두번째는 문맥을 파악하고 상황에 맞는 응답을 생성하는 능력을 갖추고 있습니다. 사용자의 입력뿐만 아니라 대화의 전반적인 맥락을 고려하여 응답을 생성하므로, 자연스러운 대화가 가능합니다. 마지막 세번째는 방대한 양의 데이터를 학습하며 다양한 주제에 대한 지식을 보유하고 있습니다. 이는 사용자들과의 상호작용에서 더 풍부하고 포괄적인 대화를 가능케 합니다. 그렇기 때문에 챗GPT의 기술적 특징은 놀랍게도 사용자와의 자연스러운 대화를 가능하게 하고, 상황에 맞는 응답을 생성하는 강력한 언어 모델을 제공합니다. 이는 미디어 리터러시 교육 분야에서 창의적이고 효과적인 교육 방법을 개발하는 데에 기여할 것으로 기대가 현대 기술 입니다.

챗GPT는 텍스트와 코드의 방대한 데이터 세트로 훈련되기 때문에 데이터 세트의 크기가 클수록 다양한 문맥을 이해하고, 창의적인 콘텐츠를 생성할 수 있는 능력이 향상됩니다. 챗GPT는 텍스트와 코드의 데이터 세트 크기가 400억 단어에 달합니다. 또한 챗GPT에서 사용하는 Transformer 아키텍처는 자연어 처리 분야에서 뛰어난 성능을 보이는 아키텍처입니다. 이를 사용하여 문장의 의미를 이해하고, 다양한 문장을 생성할 수 있습니다. 챗GPT는 강화 학습 방법을 사용하여 훈련됩니다. 강화 학습 방법은 에이전트가 환경과의 상호작용을 통해 학습하는 방법입니다. 챗GPT는 강화 학습 방법을 사용하여 다양한 문맥을 이해하고, 창의적인 콘텐츠를 생성하는 방법을 학습합니다.

그렇기 때문에 챗GP의 기술적 특징을 이용하면 우선, 다양한 종류의 콘텐츠 생성 가능합니다. 챗GPT는 텍스트, 코드, 이미지,

음악 등 다양한 종류의 콘텐츠를 생성할 수 있습니다. 챗GPT는 데이터 세트에 포함된 다양한 정보를 활용하여 다양한 종류의 콘텐츠를 생성하기 때문에 강화 학습 방법 훈련을 통해서 창의적인 콘텐츠 생성 가능합니다. 챗GPT를 사용자가 상호작용을 통해 훈련 시키면 기존에 존재하지 않던 새로운 콘텐츠를 생성할 수 있습니다. 챗GPT는 Transformer 아키텍처와 강화 학습 방법을 통해 기존에 존재하지 않던 새로운 아이디어를 생성할 수 있기 때문에 누가 어떻게 사용하느냐 에 따라서 사용자를 닮은 콘텐츠가 생성되는 것입니다.

챗GPT의 기술적 특징을 살펴보면 챗GPT가 다양한 분야에서 활용될 수 있는 가능성을 보여줍니다. 챗GPT는 창의적인 콘텐츠 생성, 기계 번역, 질문 답변 등 다양한 분야에서 활용될 것으로 기대됩니다. 챗GPT의 기술적 특징을 활용한다면 새로운 서비스가 개발될 수 있습니다. 챗GPT를 사용하여 사용자의 관심사와 선호도를 파악하고, 이를 바탕으로 개인화된 콘텐츠를 추천하는 서비스가 개발될 수 있습니다. 인공지능이 창작자의 아이디어를 구체화하고, 이를 바탕으로 창의적인 콘텐츠를 제작하는데 도움을 주는 서비스가 개발될 수 있습니다. 챗GPT를 사용하여 인공지능이 학생의 학습 수준과 이해도를 파악하고, 이를 바탕으로 맞춤형 학습을 제공하는 서비스가 개발될 수 있습니다. 챗GPT의 기술적 특징은 챗GPT가 우리 삶의 다양한 영역에서 변화를 가져올 수 있는 잠재력을 가지고 있음을 보여줍니다.

챗GPT를 활용한 교육의 장점

교육 분야도 마찬가지로, 인공지능을 활용한 교육이 주목받고 있습니다. 챗GPT는 OpenAI에서 개발한 대규모 언어 모델(LLM)로 텍스트와 코드의 방대한 데이터 세트로 훈련되어 다양한 종류의 창의적인 콘텐츠를 생성할 수 있습니다. 이러한 챗GPT를 활용한 교육은 다음과 같은 장점을 제공합니다.

첫째, 개인별 맞춤형 교육이 가능합니다. 챗GPT는 학생의 학습 수준과 이해도를 파악하고, 이를 바탕으로 맞춤형 학습을 제공할 수 있습니다. 이를 통해 학생은 자신의 수준에 맞는 학습을 받을 수 있고, 학습 효율을 높일 수 있습니다. 예를 들어, 챗GPT를 활용하여 학생의 학습 진도를 파악하고, 부족한 부분에 대한 보충 학습을 제공할 수 있습니다. 또한, 학생의 관심사에 맞는 학습 콘텐츠를 제공할 수 있습니다. 둘째, 능동적인 학습이 가능합니다. 챗GPT는 학생과 상호작용을 통해 학습할 수 있습니다. 이를 통해 학생은 수동적으로 정보를 받아들이는 것이 아니라, 능동적으로 학습에 참여할 수 있습니다. 예를 들어, 챗GPT를 활용하여 질문과 답변을 통해 학습할 수 있습니다. 또한, 챗GPT를 활용하여 다양한 창의적인 활동을 할 수 있습니다. 셋째, 창의적인 학습이 가능합니다. 챗GPT를 활용하여 다양한 창의적인 활동을 할 수 있습니다. 이를 통해 학생은 창의적인 사고력을 키울 수 있습니다. 예를 들어, 챗GPT를 활용하여 스토리텔링, 코딩, 디자인 등 다양한 창의적인 활동을 할 수 있습니다.

그로 인해 챗GPT를 활용한 교육은 미래 교육의 새로운 패러다임으로 주목받고 있으며 이는 미디어 교육에서도 활용 될 수 있습니다. 다양한 미디어 채널을 통해 다양한 정보를 접할 수 있지만, 그만큼 잘못된 정보나 왜곡된 정보에 노출될 위험도 높아지고 있습니다. 따라서, 미디어를 올바르게 이해하고 비판적으로 평가하는 능력인 미디어리터러시 교육을 챗GPT를 활용한다면 다음과 같은 장점을 얻을 수 있습니다.

첫째, 미디어 콘텐츠의 분석 및 평가를 지원할 수 있습니다. 챗GPT는 미디어 콘텐츠의 사실 여부, 편향성, 맥락 등을 분석할 수 있습니다. 이를 통해 학생은 미디어 콘텐츠를 비판적으로 평가하는 능력을 키울 수 있습니다. 예를 들어, 챗GPT를 활용하여 특정 뉴스 기사의 사실 여부를 확인하거나, 특정 광고의 목적을 파악하는 등의 활동을 할 수 있습니다. 둘째, 미디어 제작을 지원할 수 있습니다. 챗GPT는 다양한 종류의 미디어 콘텐츠를 생성할 수 있습니다. 이를 통해 학생은 미디어 제작 역량을 키울 수 있습니다. 예를 들어, 챗GPT를 활용하여 뉴스 기사, 광고, 영상 콘텐츠 등을 제작하는 등의 활동을 할 수 있습니다. 셋째, 미디어에 대한 이해를 돕고, 미디어에 대한 관심을 유발할 수 있습니다. 챗GPT는 다양한 주제에 대한 정보를 제공하고, 다양한 창의적인 활동을 할 수 있습니다. 이를 통해 학생은 미디어에 대한 이해를 넓히고, 미디어에 대한 관심을 유발할 수 있습니다.

가족과 함께하는 교육 방법

오늘날의 아이들은 태어나면서부터 디지털 기기에 둘러싸여 있습니다. 스마트폰, 태블릿, 게임기 등 다양한 디지털 기기를 통해 다양한 미디어 콘텐츠에 접하고 있습니다. 이러한 미디어는 아이들의 학습, 놀이, 사회성 발달에 다양한 영향을 미치고 있습니다. 그만큼 현대 사회에서는 미디어의 영향력이 더 이상 무시할 수 없는 요소로 자리 잡았습니다. 텔레비전, 스마트폰, 인터넷 등이 일상적으로 사용되면서 미디어가 우리 삶에 미치는 영향은 점점 커져가고 있습니다. 특히 가정에서 어린이와 청소년이 미디어를 어떻게 소비하고 이해하는지는 가족의 역할이 중요하다는 것을 계속적으로 염두해 두어야 합니다.

가족과 함께하는 미디어 교육은 단순히 미디어를 소비하는 시간이 아니라, 그 소비 과정에서 어떻게 비평적 사고력을 기르고 건강한 습관을 형성할 수 있는지를 배우고 나누는 기회를 제공합니다. 미디어는 아이들의 삶에 중요한 부분을 차지하고 있기 때문에, 아이들이 디지털 기기를 바람직한 방식으로 사용하고, 디지털 정보를 비판적으로 평가할 수 있도록 미디어 교육을 받는 것이 중요합니다.

가족과 함께 미디어 교육을 받는 것은 다음과 같은 이유로 중요합니다. 아이들의 흥미와 관심을 유발할 수 있습니다. 가족과 함께 미디어 교육을 받으면 아이들이 더 흥미롭게 참여하고, 배운 내용을 더 잘 이해할 수 있습니다. 아이들의 미디어 리터러시 역량을 강화할 수 있습니다. 가족과 함께 미디어 교육을 받으면 아이들이 다양한 관점에서 미디어를 바라볼 수 있고, 디지털 정보를 비판적으로 평가할 수 있는 능력을 키울 수 있습니다. 가족의 소통과 유대감을 강화할 수 있습니다. 가족과 함께 미디어 교육을 받으면 가족 구성원이 함께 시간을 보내고, 서로의 생각을 나눌 수 있는 기회가 됩니다.

< 디지털 콘텐츠를 비판적으로 평가하기 위한 질문리스트 >

이 콘텐츠는 어디서 나온 것일까요?

콘텐츠의 출처를 파악하는 것은 콘텐츠의 신뢰성을 판단하는데 중요한 요소입니다. 출처가 명확하지 않은 콘텐츠는 신뢰할 수 없다는 것을 기억해야 합니다.

이 콘텐츠의 목적은 무엇일까요?

콘텐츠의 목적을 파악하는 것도 콘텐츠의 신뢰성을 판단하는데 도움이 됩니다. 광고, 홍보, 선전 등의 목적으로 제작된 콘텐츠는 사실과 왜곡된 정보를 혼합하여 제공할 수 있기 때문입니다.

이 콘텐츠의 내용은 사실일까요?

콘텐츠의 내용을 사실과 허구로 구분하는 것은 매우 중요합니다. 콘텐츠의 내용이 주장하는 근거를 확인하고, 다른 출처의 정보를 비교하여 사실 여부를 판단해야 합니다.

이 콘텐츠의 내용은 편향되어 있나요?

콘텐츠의 내용이 특정한 입장이나 견해를 반영하고 있는지 확인하는 것도 중요합니다. 콘텐츠의 내용이 편향되어 있다면, 그 편향을 인식하고, 다른 관점에서 정보를 접할 필요가 있습니다.

이 콘텐츠는 어린이에게 적합한가요?

어린이들이 접하는 콘텐츠는 특히 신중하게 평가해야 합니다. 어린이들이 이해하기 어려운 내용이나, 폭력, 선정성 등의 문제가 있는 콘텐츠는 피해야 합니다.

이 콘텐츠는 나에게 어떤 영향을 미칠까요?

콘텐츠가 나에게 어떤 영향을 미칠지 생각해 보는 것도 중요합니다. 콘텐츠가 내 생각이나 행동에 영향을 미치고 있다면, 그 영향을 인식하고, 비판적으로 받아들일 필요가 있습니다.

이 콘텐츠는 다른 사람들에게 어떤 영향을 미칠까요?

콘텐츠가 다른 사람들의 생각이나 행동에 영향을 미치고 있다면, 그 영향을 인식하고, 책임감 있게 소비할 필요가 있습니다.

챗GPT를 활용하면
포지션이 바뀐다. '소비자 -> 생산자'

디지털 시대의 발전으로 우리의 역할과 기능은 지속적으로 변화하고 있습니다. 특히 인공지능 기술의 발전은 소비자와 생산자 간의 경계를 흐림으로써 우리에게 새로운 기회와 책임을 안겨주고 있습니다. 그 중에서도 챗GPT(Generative Pre-trained Transformer)는 소비자들을 생산자로 만들어 내는 혁신적인 기술로 주목받고 있습니다. 우리는 챗GPT를 활용함으로써 어떻게 우리의 역할이 바뀌고 있는지, 그리고 이를 통해 어떤 새로운 창조적인 가능성이 열리고 있는지에 대해 관람자의 입장이 아닌, 관리자의 입장에서 바라봐야 합니다. 챗GPT는 기존에는 소비자로서 정보를 수용하고 활용하는 역할에서 벗어나, 생산자로서 창조적이고 의미 있는 내용을 생성하는 데 있어 강력한 도구로 작용하고 있습니다. 이전에는 미디어의 소비자로서 우리는 주로 다양한 콘텐츠를 소비하고 해석했습니다. 그러나 챗GPT를 활용하면 우리는 더 이상 단순한 수용자로 남아있지 않습니다. 대신, 이 기술을 통해 우리는 다양한 분야에서 새로운 아이디어를 생산하고 공유할 수 있는 능력을 가지게 됩니다.

챗GPT는 사용자가 특별한 프로그래밍 없이도 언어 생성 및 이해 작업을 수행할 수 있는 데에 중점을 두고 설계되었습니다. 이러한 특성은 일반 사용자들이 쉽게 다양한 분야에서 창조적이고 유용한 컨텐츠를 생산할 수 있게끔 도와주고 있습니다.

예를 들어, 글쓰기, 스토리 작성, 음악 생성, 코드 작성 등 다양한 창작 활동에 활용될 수 있습니다. 챗GPT는 OpenAI에서 개발한 대규모 언어 모델(LLM)입니다. 텍스트와 코드의 방대한 데이터 세트로 훈련되어 다양한 종류의 창의적인 콘텐츠를 생성할 수 있기 때문에, 챗GPT를 활용하면 소비자에서 생산자로의 포지션 전환이 가능합니다. 기존에는 소비자가 콘텐츠를 소비하는 수동적인 입장에 있었지만, 챗GPT를 활용하면 소비자가 콘텐츠를 생산하는 능동적인 입장이 될 수 있습니다.

챗GPT를 활용하여 소비자에서 생산자로의 포지션 전환이 가능한 이유는 다음과 같습니다. 콘텐츠 제작의 진입 장벽을 낮춰줍니다. 챗GPT를 활용하면 복잡한 기술 지식이나 전문적인 능력 없이도 다양한 콘텐츠를 제작할 수 있습니다. 콘텐츠 제작의 효율성을 높여줍니다. 챗GPT는 방대한 데이터 세트로 훈련되어 있기 때문에, 기존의 콘텐츠 제작 방식보다 훨씬 빠르고 효율적으로 콘텐츠를 제작할 수 있습니다. 콘텐츠 제작의 창의성을 높여줍니다. 챗GPT는 다양한 아이디어와 표현을 생성할 수 있기 때문에, 기존의 콘텐츠 제작 방식보다 훨씬 창의적인 콘텐츠를 제작할 수 있습니다.

챗GPT를 활용하여 소비자에서 생산자로의 포지션 전환이 가능해지면 이뤄지는 변화도 예상 할 수 있습니다. 콘텐츠 소비의 양과 질이 증가합니다. 소비자가 직접 콘텐츠를 생산하게 되면, 기존의 콘텐츠보다 더 다양한 콘텐츠가 소비될 것입니다. 또한,

소비자가 직접 콘텐츠를 생산함으로써, 그렇게 되면 더이상 콘텐츠를 주체성 없이 받아드리지 않습니다. 콘텐츠 제작의 민주화가 이루어집니다. 기존에는 콘텐츠 제작은 전문가의 영역이었지만, 챗GPT를 활용하면 누구나 콘텐츠 제작에 참여할 수 있습니다. 이로써 콘텐츠 제작의 민주화가 이루어질 수 있습니다. 콘텐츠 산업의 발전이 이루어집니다. 소비자가 직접 콘텐츠를 생산하게 되면, 콘텐츠 산업의 새로운 시장이 형성될 것입니다. 이로써 콘텐츠는 누구나 만들 수 있기 때문에 콘텐츠 산업의 경계성이 무너지고 시장성도 다양하게 확장되어 집니다.

챗GPT를 통한 소비자에서 생산자로의 전환은 우리에게 창의적이고 독창적인 아이디어를 쉽게 공유하고 발전시킬 수 있는 능력을 제공합니다. 이는 단순히 정보의 수용이 아니라, 지식의 창조와 공유의 시대로 나아가는 발판이 될 것입니다. 따라서 이러한 변화를 적극적으로 수용하고 활용함으로써 우리는 미래의 디지털 시대에서 보다 창의적이고 발전된 역할을 수행할 수 있을 것입니다.

디지털 시대에서 우리는 더 이상 미디어를 단순히 소비하는 소비자로만 남아있지 않습니다. 오히려 우리는 미디어를 직접 생산하는 생산자로서 주체적이고 창의적인 역할을 수행할 수 있게 되었습니다. 이러한 변화는 우리의 디지털 문해력을 향상시키고 주체성을 확보하는 데에 큰 기회를 제공합니다. 먼저, 미디어를 생산하는 과정에서 우리는 정보를 단순히 수용하는 것이 아니라, 그 정보를 해석하고 새로운 컨텍스트에서 응용할 수 있는 능력을 키울 수 있습니다. 자신만의 콘텐츠를 창조하면서 우리는 미디어의 다양한 측면을 자세히 이해하게 되며, 이는 주체적이고 비평적인 디지털 문해력의 기반이 됩니다. 또한, 미디어를 직접 만들면서 우리는 자신만의 목소리와 시각을 표현할 수 있는 능력을 길러갑니다. 이는 주체성을 가지고 미디어 환경에서 자신을 표현하고 타인과 소통할 수 있는 능력을 강화하는 것과 직결됩니다. 주체성 있는 디지털 문해력은 다양한 의견과 관점을 존중하며, 창의성을 발휘하는 데에 기여합니다. 뿐만 아니라, 미디어를 직접 생산함으로써 우리는 디지털 환경에서의 문제 해결 능력을 강화할 수 있습니다. 미디어 생산은 컨텐츠를 계획하고 제작하는 과정에서 다양한 기술과 도구를 활용하는 기회를 제공합니다. 이를 통해 우리는 디지털 기술을 능숙하게 활용하며, 문제 상황에 능동적으로 대처하는 능력을 키울 수 있습니다.

스스로가 미디어를 생산하는 생산자가 되면, 미디어를 보다 주체적으로 받아들일 수 있습니다. 미디어를 생산하기 위해서는 미디어의 특성, 제작 과정, 영향 등을 이해해야 합니다. 이러한 이해를 바탕으로 미디어를 생산하게 되면, 미디어를 비판적으로 평가하고, 나에게 유익한 정보를 선택할 수 있게 되는 것입니다. 그렇게 되면 첫번째로 미디어의 영향력을 인식할 수 있습니다. 미디어는 사람들의 생각과 행동에 영향을 미칠 수 있는 힘을 가지고 있습니다. 미디어를 생산하게 되면, 미디어의 영향력을 이해하고, 미디어를 통해 올바른 정보를 전달하고, 사람들의 생각과 행동에 긍정적인 영향을 미칠 수 있는 콘텐츠를 제작할 수 있습니다. 그 다음은 미디어를 직접 만들게 되면 창의적인 사고력을 키울 수 있습니다. 미디어를 생산하기 위해서는 새로운 아이디어를 떠올리고, 이를 창의적으로 표현해야 합니다. 이러한 과정을 통해 창의적인 사고력을 키울 수 있습니다. 세번째로는 의사소통 능력이 향상됩니다. 미디어를 통해 사람들과 소통하게 되면, 효과적으로 의사소통 하는 방법을 배울 수 있습니다. 이러한 과정을 통해 의사소통 능력이 향상됩니다.

결론적으로, 미디어 생산자가 되면 미디어를 보다 주체적으로 받아들이고, 미디어의 영향력을 인식하며, 창의적인 사고력과 의사소통 능력을 키울 수 있습니다. 따라서, 우리는 미디어를 마냥 소비하는 소비자가 아니라는 것을 인지하기 위해 미디어 생산자로써 의 마인드 세팅이 필요 합니다. 이는 주체적이고 창의적인 활동을 중시하며 정보를 소비하는 것뿐만 아니라 창조하는 과정에서 적극적으로 참여하는 마음가짐을 의미하는 것과 같습니다.

< 미디어 생산자로써 의 마인드 세팅 >

호기심과 탐구심 갖기 '미디어는 내가 만드는 것이다.'

새로운 아이디어와 기술에 대한 호기심을 갖고, 탐구하는 습관을 기르세요. 다양한 주제와 콘텐츠를 탐험하며 여러 영감을 얻을 수 있습니다. 미디어는 내가 소비하는 것이 아니라, 내가 만드는 것입니다. 따라서, 미디어를 비판적으로 평가하고, 나만의 창의적인 콘텐츠를 제작할 수 있도록 노력해야 합니다.

자기 표현에 대한 자신감 키우기 '미디어는 나와의 소통 도구이다.'

자신만의 목소리와 스타일을 찾고, 자유롭게 표현할 수 있는 자신감을 키웁니다. 실패와 성공을 통해 성장하며, 자기 표현에 대한 두려움을 극복하세요. 미디어는 단순히 정보를 제공하는 도구가 아니라, 나와 다른 사람들과 소통하는 도구입니다. 따라서, 미디어를 통해 나 자신의 생각과 가치관을 표현하고, 다른 사람들과 공감하고 소통할 수 있도록 노력해야 합니다.

협업과 소통 능력 강화 '미디어는 사회에 영향을 미치는 것이다.'

다른 사람들과의 협업은 새로운 아이디어를 만들고 발전시키는 데에 중요합니다. 자신의 아이디어를 효과적으로 전달하고 다양한 의견을 수용하는 소통 능력을 키워보세요. 미디어는 우리 사회에 큰 영향을 미칩니다. 따라서, 미디어를 통해 사회에 긍정적인 영향을 미칠 수 있는 콘텐츠를 제작하도록 노력해야 합니다.

기술적 역량 향상 '미디어는 나만의 책임이다.'

미디어는 나만의 책임입니다. 따라서, 미디어를 책임감 있게 사용하고, 올바르게 활용할 수 있도록 노력해야 합니다. 미디어 생산은 기술적인 역량이 필요합니다. 윤리적인 시각에서 새로운 디지털 도구와 소프트웨어에 대한 이해를 높이고, 업데이트된 기술을 익히세요. 기술적인 도전에 대한 두려움을 극복하며 자신의 능력을 발전시키세요.

지속적인 학습과 발전 '미디어는 끊임없이 변화하는 것이다'

미디어 환경은 끊임없이 변화합니다. 지속적인 학습과 발전에 주의를 기울이세요. 최신 트렌드를 파악하고, 자주 업데이트되는 기술과 플랫폼을 습득하여 미디어 생산자로서 경쟁력을 유지하세요.

부모와 자녀 그리고 챗GPT, 대화는 모든 것의 열쇠

부모와 자녀의 대화는 아이의 성장과 발달에 있어 매우 중요한 역할을 합니다. 부모와의 대화를 통해 아이는 언어를 배우고, 언어를 사용하는 능력을 키울 수 있습니다. 부모는 아이의 말을 경청하고, 아이의 질문에 답변함으로써 아이의 언어 능력을 향상시킬 수 있습니다. 또한, 부모는 아이에게 다양한 책을 읽어주거나, 함께 게임이나 놀이를 함으로써 아이의 언어 능력을 발달시킬 수 있습니다. 그리고 사회성 역시 부모와의 대화를 통해 아이는 타인과 관계를 맺고, 의사소통하는 방법을 배울 수 있습니다. 부모는 아이와 함께 다양한 활동을 함으로써 아이의 사회성을 향상시킬 수 있습니다. 또한, 부모는 아이에게 다른 사람들과 어떻게 대화해야 하는지 가르쳐줌으로써 아이의 사회성을 발달시킬 수 있습니다. 또한 부모와의 대화를 통해 아이는 자신의 감정을 표현하고, 조절하는 방법을 배울 수 있습니다.

부모는 아이의 감정에 공감하고, 아이의 감정을 이해함으로써 아이의 감정 조절 능력을 향상시킬 수 있습니다. 또한, 부모는 아이에게 자신의 감정을 어떻게 표현해야 하는지 알려 줌으로써 아이의 감정 조절 능력을 발달시킬 수 있습니다. 그로 인해 부모와의 대화를 통해 아이는 자신을 이해하고, 자신의 장점과 단점을 파악하는 방법을 배울 수 있습니다. 부모는 아이의 관심사와 특성을 파악하고, 아이의 강점과 약점을 칭찬함으로써 아이의 자기 이해 능력을 향상시킬 수 있습니다. 부모는 아이에게 자신의 생각과 느낌을 표현하도록 격려함으로써 아이의 자기 이해 능력을 발달시킬 수 있습니다. 여기서 챗GPT까지 활용하여 대화를 한다면 부모와 자녀의 대화를 더욱 효과적으로 만들어 줄 수 있습니다. 챗GPT는 다양한 정보를 제공하고, 다양한 창의적인 활동을 할 수 있기 때문에, 자녀들의 호기심에 대하여 답변을 해줄 때 챗GPT를 활용하여 이를 통해 아이의 수준과 관심사에 맞는 대화를 나눌 수 있습니다. 또한 다양한 시각으로 아이의 창의력과 사고력을 챗GPT와의 대화를 통해 키워줄 수 있습니다.

< 가족 간의 대화 속에 챗GPT를 적용 시키는 예시 >

챗GPT에게 우리이 이야기를 들려주고 재미있는 동화로 재구성 해보라고 할까?

오늘 봤던 슈퍼문이 어떻게 생기게 되었는지, 다음 슈퍼문은 언제 뜨는지 챗GPT는 알고 있을까?

우리가 왜 골고루 먹어야 하는지, 이 식탁에 혹시 빠진 영양소가 있는지 챗GPT에게 물어보자!

블루 라이트가 우리 뇌에 끼치는 안 좋은 영향에 대해 챗GPT가 알고 있는게 있을까?

교육의 효과

미디어 리터러시 향상이 됩니다. 미디어 리터러시란 미디어를 비판적으로 이해하고, 활용하는 능력을 말합니다. 가정에서의 미디어 교육을 통해 아이는 미디어의 특성과 기능을 이해하고, 미디어에 대한 비판적 사고력을 키울 수 있습니다. 예를 들어, 아이와 함께 미디어 콘텐츠를 시청하면서, 미디어의 편향성이나 왜곡된 정보를 파악하는 방법을 알려줄 수 있습니다. 또한, 아이가 미디어 콘텐츠에 대한 자신의 생각과 의견을 표현할 수 있도록 격려할 수 있습니다. 미디어를 수용적으로 받아 드리기만 하는 것이 아니라 주체적으로 받아드리게 되며 자기 주도적 학습 능력 역시 향상 됩니다. 가정에서의 미디어 교육을 통해 아이는 다양한 미디어 콘텐츠를 통해 스스로 정보를 탐색하고, 학습할 수 있는 능력을 키울 수 있습니다. 예를 들자면 아이가 관심 있는 주제에 대한 미디어 콘텐츠를 함께 찾아보고, 정보를 공유할 수 있습니다. 또한, 아이가 미디어를 활용하여 학습 자료나 과제를 만들 수 있도록 도울 수 있습니다.

창의력과 문제 해결력도 향상에도 효과를 볼 수 있습니다. 가정에서의 미디어 교육을 통해 아이는 다양한 창의적인 활동을 통해 창의력과 문제 해결력을 키울 수 있습니다. 아이와 함께 미디어를 활용한 창의적인 활동을 계획하고, 실행할 수 있습니다. 또한, 아이가 미디어를 통해 새로운 아이디어를 떠올리고, 해결책을 모색할 수 있도록 격려할 수 있습니다. 자신의 생각을 잘 전달하기 위해서는 의사소통 능력이 중요한데 미디어교육을 통해서 의사소통에 대해 긍정적인 효과를 볼 수 있습니다. 미디어 교육을 통해 아이는 미디어를 통해 타인과 소통하는 능력을 키울 수 있습니다. 아이와 함께 미디어를 활용하여 친구나 가족과 소통할 수 있습니다. 또한, 아이가 미디어를 통해 자신의 생각과 의견을 표현하고, 타인의 의견을 경청할 수 있도록 격려할 수 있습니다. 가정에서의 미디어 교육은 아이의 성장과 발달에 있어 매우 중요한 역할을 합니다. 부모의 관심과 노력을 통해 아이가 미디어를 올바르게 이해하고, 활용하는 능력을 키울 수 있도록 도와주어야 합니다.

소통이 더 이상 어렵지 않은 우리 가족

가족 간의 소통은 가족 구성원의 관계를 형성하고, 유지하는 데에 매우 중요한 역할을 합니다. 하지만, 가족 간의 소통에 어려움을 겪는 경우도 있습니다. 가족 간의 소통에 어려움을 겪는 원인은 다양합니다. 각 가족 구성원마다 성격, 가치관, 관심사 등이 다르기 때문에, 서로의 생각과 감정을 이해하기 어려울 수 있습니다. 또한, 가족 구성원 사이에 갈등이 발생하거나, 바쁜 일상 때문에 소통할 시간이 부족할 수도 있습니다. 챗GPT는 가족 간의 소통에 어려움을 해결하는 데에 도움을 줄 수 있는 도구입니다. 챗GPT는 다음과 같은 방법으로 가족 간의 소통을 원활하게 하는 데에 도움을 줄 수 있습니다.

가족 간의 공감과 이해를 증진할 수 있는 측면에서 활용이 가능합니다. 챗GPT는 가족 구성원의 생각과 감정을 표현하고, 이를 이해하는 데에 도움을 줄 수 있습니다. 예를 들어, 가족 구성원이 서로의 의견에 동의하지 못할 때, 챗GPT를 활용하여 서로의 생각을 공유하고, 이해할 수 있도록 도울 수 있습니다. 챗GPT는 가족 간의 대화의 기회를 확대하는 데에도 도움이 될 수 있습니다. 챗GPT는 가족 구성원 간의 관심사를 공유하고, 이를 토대로 대화를 나누는 데에 도움을 줄 수 있습니다. 예를 들어, 가족 구성원이 서로 다른 관심사를 가지고 있을 때, 챗GPT를 활용하여 공통 관심사를 찾고, 이를 토대로 대화를 나눌 수 있도록 도울 수 있습니다. 가족 간의 관계를 강화하는 데에도 도움이 될 수 있습니다. 챗GPT는 가족 구성원 간의 유대감을 형성하고, 이를 유지하는 데에 도움을 줄 수 있습니다. 예를 들어, 가족 구성원이 함께 게임이나 놀이를 할 때, 챗GPT를 활용하여 더욱 재미있고, 즐거운 시간을 보낼 수 있도록 도울 수 있습니다.

물론, 챗GPT가 모든 가족 간의 소통 문제를 해결할 수 있는 것은 아닙니다. 가족 간의 소통 문제가 심각한 경우에는 전문가의 도움을 받는 것이 좋습니다. 하지만, 챗GPT를 적절하게 활용한다면, 가족 간의 소통을 개선하고, 관계를 강화하는 데에 도움이 될 수 있습니다. 효과적인 소통을 위한 몇가지의 구체적인 방법으로는 챗GPT를 활용하여 가족 구성원 간의 관심사를 파악할 수 있습니다. 예를 들어, 가족 구성원이 자신의 관심사에 대해 챗GPT와 대화 후 가족 구성원과 대화를 나누면 서로의 관심사에 대한 이해도가 높아질 수 있기 때문입니다. 가족 구성원 간의 생각과 감정을 표현하고, 이해하기 위해 챗GPT를 활용해도 좋습니다. 예를 들어, 가족 구성원이 서로의 의견에 동의하지 못할 때, 챗GPT를 활용하여 서로의 생각을 공유하고, 이해할 수 있도록 도울 수 있습니다.

그러나 챗GPT를 활용하여 가족 간의 소통을 원활하게 하기 위해서는 다음과 같은 사항에 유의해야 합니다. 챗GPT는 아직 개발 중인 기술이기 때문에, 완벽하지 않습니다. 챗GPT의 한계를 이해하지 못하면, 잘못된 정보를 제공하거나, 가족 구성원 사이에 갈등을 조장할 수도 있습니다. 챗GPT를 활용하여 가족 간의 대화를 나누기 위해서는, 가족 구성원 간의 관심사와 수준을 고려해야 합니다. 가족 구성원 간의 관심사에 맞지 않은 대화를 나누면, 가족 구성원들이 흥미를 잃고, 대화에 참여하지 않을 수도 있습니다. 또한 가족 구성원의 개성을 존중해야 합니다. 가족 구성원 모두가 챗GPT를 활용해야 하는 것은 아니며, 가족 구성원이 챗GPT를 활용하지 않고 싶어하면, 강요해서는 안 됩니다. 챗GPT를 활용하여 가족 간의 소통을 원활하게 한다면, 가족 구성원 간의 관계를 더욱 돈독하게 만들 수 있습니다. 가족 구성원들과 함께 소통하는 시간에 챗GPT를 적극 활용해 보시기 바랍니다.

문해력과 디지털 문해력 그리고 전두엽, 변연계의 연관성

문해력은 문자를 읽고, 이해하고, 활용하는 능력을 말합니다. 문해력은 전두엽과 변연계의 발달과 밀접한 관련이 있습니다. 전두엽은 의사결정, 문제 해결, 계획, 추론, 창의성, 언어 처리 등의 기능을 담당하는 뇌의 영역입니다. 전두엽이 발달하면, 문장을 이해하고, 글을 쓰는 능력이 향상됩니다. 또한, 전두엽은 감정 조절, 스트레스 관리 등의 기능도 담당하기 때문에, 전두엽이 발달하면 문해력을 향상시키는 데 도움이 됩니다. 변연계는 감정, 기억, 동기 등의 기능을 담당하는 뇌의 영역입니다. 변연계가 발달하면, 글의 내용을 이해하고, 감정을 이입하는 능력이 향상됩니다. 또한, 변연계는 기억을 저장하고, 회상하는 기능도 담당하기 때문에, 변연계가 발달하면, 문해력을 향상시키는데 도움이 됩니다.

디지털 문해력과 전두엽, 변연계의 발달과도 역시 밀접한 연관성이 있습니다. 디지털 문해력은 다음과 같은 요소를 포함합니다. 디지털 문해력은 디지털 기술을 이해하고, 활용하는 능력을 말합니다. 디지털 문해력은 다음과 같은 세 가지 주요 영역으로 구성됩니다. 디지털 기술을 통해 제공되는 정보를 이해하는 능력과 디지털 기술을 사용하여 정보를 생성하는 능력 그리고 디지털 기술을 윤리적으로 사용하는 능력을 말합니다. 이 영역들이 뇌 과학적인 측면에서 전두엽과 변연계의 연관성을 따져보아도 전두엽은 디지털 기술을 사용하여 복잡한 정보를 이해하고, 사고의 유연성을 증진하며, 창의적인 사고를 할 수 있는 능력을 향상시킵니다.

변연계는 디지털 기술을 사용하여 정보를 더 잘 기억하고, 이해하며, 감정을 조절할 수 있는 능력을 향상시킵니다. 디지털 문해력은 인터넷 검색, 온라인 콘텐츠 이해, 디지털 미디어 활용 등을 포함하여 디지털 환경에서 정보에 능숙하게 대처하는 능력을 나타냅니다. 이는 다양한 자극을 처리하고 전두엽과 변연계를 적극적으로 활용하는 것과 관련이 있습니다. 또한 디지털 환경에서 발생하는 복잡한 정보들을 분석하고 비평적으로 생각하는 과정에서도 전두엽과의 상호작용이 강조됩니다. 종합적으로, 디지털 문해력은 문해력과 더불어 인지 능력과의 긍정적인 상호작용을 통해 전두엽과 변연계의 활동을 촉진하며, 이는 학습, 의사 결정, 문제 해결 능력을 향상시킬 수 있습니다.

[생각해 볼 질문]

전두엽과 변연계가 뇌에서 어떤 역할을 하나요?

디지털 정보를 이해하고 처리하는 데 왜 디지털 문해력이 필요한 건가요?

디지털 문해력이 높아지면 어떤 일상적인 상황에서 도움이 될까요?

07
GPT 프로세스: 챗GPT와 함께하는 대화형 미디어 리터러시 교육

G - Guidance (가이던스) : 가이드

수많은 정보가 우리에게 쏟아지는 이러한 정보의 풍선 속에서 우리는 어떤 정보를 선택하고 어떻게 활용해야 하는지에 대한 안내가 필요합니다. 여기서 챗GPT가 중요한 역할을 합니다. 챗GPT는 사용자에게 필요한 정보를 제공하고, 사용자의 의문이나 궁금증에 답하는데 도움을 줍니다. 이는 미디어 리터러시 교육에서 학습자가 안내의 도움을 받을 수 있는 유용한 수단으로 활용됩니다. 디지털 세계는 무궁무진한 가능성을 제공하지만, 동시에 함정과 위험도 숨겨져 있습니다. 챗GPT는 디지털 세계에서의 건강한 사용 가이드라인을 제시하여 사용자가 온라인에서 안전하고 효과적으로 소통하고 정보를 활용할 수 있도록 돕습니다. 또한, 미디어 메시지를 비판적으로 이해하고 다양한 시각에서 정보를 살펴보는 방법을 안내하여 학습자의 비평적 사고 능력을 향상시킵니다. 이러한 가이던스를 통해 학습자는 디지털 세계에서 스스로를 안전하게 이끌어 나갈 수 있고, 다양한 정보 속에서 합리적으로 판단하는 능력을 키웁니다.

챗GPT를 활용한 대화형 미디어 리터러시 교육은 지침을 제공하는 것이 중요합니다. 가이던스의 역할을 충분히 수행 가능하지만 우리는 또 하나 잊지 말아야 하는 것이 있습니다. 챗GPT는 지속적으로 개발 중인 기술이기 때문에, 완벽하지는 않습니다. 따라서, 챗GPT를 활용하기 전에 챗GPT의 한계와 올바른 사용법을 교육하는 것이 중요합니다.

챗GPT를 활용한 대화형 미디어 리터러시 교육의 지침은 다음과 같습니다.

챗GPT는 사실 정보를 제공하는 도구이지, 판단을 내리는 도구가 아닙니다.

챗GPT는 다양한 정보를 제공하지만, 그 정보의 정확성이나 신뢰성을 보장할 수 없습니다.

챗GPT는 특정 의견이나 주장을 대변하는 도구가 아닙니다.

챗GPT를 활용한 대화형 미디어 리터러시 교육에서는 이러한 지침을 교육함으로써, 학생들이 챗GPT를 올바르게 이해하고, 활용할 수 있도록 도울 수 있습니다. 이렇게 미디어 사용의 가이드라인을 제시가 가능하며 이를 통해 사용자는 디지털 환경에서의 적절한 행동 방식을 훈련하게 됩니다.

안내의 필요성과 챗GPT의 역할 : 디지털 세계에서의 가이드라인 제시하다.

디지털 세대에게 있어서 정보의 풍요로움은 한편으로는 환상적인 기회를 제공하지만, 동시에 혼란과 위험을 수반합니다. 수많은 정보 중 어떤 것을 선택하고, 어떤 것을 신뢰해야 하는지 판단하는 것은 중요한 과제입니다. 미디어 소비자들은 특히 빠르게 변화하는 디지털 환경에서 안내와 지침이 필요합니다. 이를 통해 정보를 효과적으로 이해하고, 안전하게 활용할 수 있습니다. 챗GPT는 안내와 지식 전달에 있어 강력한 툴로 작용합니다. 사용자의 질문에 자연어로 답변하면서, 미디어 리터러시 교육에서는 학습자에게 필요한 지식을 제공하고, 정보를 해석하고 이해하는 방법을 안내합니다. 특히, 다양한 주제에 대한 폭넓은 지식을 기반으로 사용자들에게 정확하고 유용한 정보를 제시하여, 미디어 소비의 안전성과 효과성을 높이는 데 기여합니다. 챗GPT의 자연어 처리 능력은 사용자들이 일상적인 언어로 궁금증을 나타내고 학습할 수 있게 해줍니다. 이를 통해 안내의 필요성을 느끼는 사용자들이 더 나은 디지털 사용이 되도록 지원합니다. 챗GPT는 가이던스 역할을 통해 사용자들이 더 나은 학습 경험을 얻고, 지식을 효과적으로 활용할 수 있도록 지원합니다.

P - Prevention (프리벤션) : 건강한 미디어 사용

프리벤션 (Prevention)은 미디어 리터러시 교육에서 중독 예방과 건강한 미디어 사용을 촉진하는 과정을 가리킵니다. 이 단계에서는 사용자들이 디지털 환경에서 건강하게 존재하고 상호작용하는 방법에 대한 가이드와 훈련이 중요합니다. 디지털 기기와 미디어의 보편화로 인해 중독의 위험이 증가하고 있습니다. 프리벤션은 이러한 중독을 예방하고 건강한 미디어 사용 습관을 촉진하는 데 주력합니다. 중독 예방은 다양한 연령층을 대상으로 하며, 특히 어린이와 청소년을 위한 교육이 중요합니다. 챗GPT는 사용자들에게 중독 예방에 도움이 되는 가이드를 제공합니다. 이를 통해 사용자들은 미디어 사용 시간을 관리하고, 온라인에서 건강하게 소통하는 방법을 배울 수 있습니다. 또한, 챗GPT는 중독 관련 정보와 실제 사례를 통해 사용자들을 경각시키고 예방에 기여합니다. 미디어 리터러시 교육의 프리벤션은 사용자들이 디지털 기기를 효과적으로 활용하면서도 건강한 라이프 스타일을 유지할 수 있도록 돕습니다. 이를 위해 챗GPT는 미디어 사용의 적절한 시간과 목적, 휴식의 중요성에 대한 정보를 전달하며, 디지털 세계에서의 건강한 습관을 형성하도록 도와줍니다. 프리벤션 단계는 미디어 사용에 대한 인식과 통제를 강화하여 중독의 위험을 줄이고, 사용자들이 긍정적이고 건강한 디지털 경험을 즐길 수 있도록 지원합니다.

뇌과학점 관점에서 보는 중독 예방과 건강한 미디어 사용의 중요성

미디어의 보편화로 뇌의 활동에 새로운 영역이 활성화되면서 중독 문제가 더욱 뚜렷해지고 있습니다. 뇌과학적인 관점에서 중독 예방과 건강한 미디어 사용의 중요성을 살펴보겠습니다.

1. 뇌의 보상 시스템과 중독

인간의 뇌는 보상 시스템을 통해 다양한 자극에 반응합니다. 디지털 미디어는 이 보상 시스템을 활성화시켜 도파민 분비를 유도합니다. 그러나 과도한 미디어 사용은 이 보상 시스템을 과도하게 자극하고 이로 인해 중독의 위험을 초래할 수 있습니다.

2. 뇌의 플라스티시티와 건강한 습관 형성

뇌는 활동에 따라 구조와 기능을 조절할 수 있는 플라스티시티를 가지고 있습니다. 중독적인 미디어 사용은 뇌의 플라스티시티를 부정적으로 영향을 미치며, 이는 건강한 습관 형성을 방해할 수 있습니다. 중독 예방은 뇌의 플라스티시티를 긍정적으로 활용하여 건강한 습관을 형성하는 것을 목표로 합니다.

3. 미디어와 스트레스 관계

스트레스는 중독을 촉진하는 요인 중 하나입니다. 뇌는 스트레스에 반응하여 도파민 분비를 조절하는데, 과도한 미디어 사용은 이 과정을 뒤엎을 수 있습니다. 건강한 미디어 사용은 스트레스 관리에 도움을 주어 뇌의 균형을 유지하며 중독을 예방합니다.

4. 미디어의 시각적 자극과 뇌 활동

특히 어린이의 경우, 시각적으로 풍부한 미디어 자극은 뇌를 강력하게 자극합니다. 이는 뇌의 발달에 영향을 미치며, 건강한 뇌 발달을 위해 적절한 미디어 사용이 필요합니다. 중독 예방 교육은 어린이의 뇌가 건강하게 발달할 수 있도록 도움을 줍니다.

뇌과학적인 관점에서 중독 예방은 뇌의 건강을 유지하고 발달을 촉진함으로써 사용자들이 미디어를 더욱 건강하게 활용할 수 있도록 지원합니다. 이는 뇌의 특성을 이해하고 적절한 미디어 사용 습관을 형성하는 데 중요한 역할을 합니다.

챗GPT를 활용한 중독 예방 루틴 만들기

디지털 미디어가 우리 삶에 더욱 불가피한 존재가 되면서 중독 예방은 가족에게 더욱 중요한 과제로 떠올랐습니다. 이에 챗GPT를 효과적으로 활용하여 중독 예방 루틴을 만들어보겠습니다.

1. 일정한 디지털 디톡스 시간 정하기

가족 구성원들과 함께 매주 정기적인 디지털 디톡스 시간을 정하는 것은 중독 예방에 큰 도움이 됩니다. 챗GPT는 이러한 디톡스 시간을 어떻게 활용할지에 대한 가이드를 제공하며, 가족의 건강한 미디어 사용 습관 형성을 돕습니다.

2. 챗GPT와 함께하는 가족 미디어 게임

가족 구성원들과 함께하는 미디어 교육 게임은 챗GPT를 통해 흥미로운 콘텐츠를 생성할 수 있습니다. 이 게임은 미디어 메시지에 대한 비평적 사고를 향상시키고, 건강한 미디어 사용 습관을 기르는 데에 도움을 줍니다.

3. 챗GPT를 활용한 맞춤형 미디어 추천

챗GPT는 가족 구성원들의 관심사와 나이에 맞는 맞춤형 미디어 추천을 제공합니다. 이를 통해 무분별한 미디어 사용을 줄이고, 가족 구성원들이 좀 더 의미 있는 콘텐츠에 집중할 수 있도록 돕습니다.

4. 챗GPT에게 질문하며 미디어 이해력 강화

챗GPT에게 미디어에 관한 질문을 하면서 정보를 탐색하고, 챗GPT를 통해 미디어 이해력을 향상시킬 수 있습니다. 이는 비평적 사고와 문해력을 함께 키워주는 효과적인 방법으로 작용합니다.

5. 챗GPT를 활용한 온라인 교육 수단 탐색

챗GPT는 안전하고 유익한 온라인 교육 콘텐츠를 찾는 데에도 도움을 줍니다. 이를 통해 디지털 공간에서의 학습과 미디어 소비의 균형을 유지하면서, 중독을 예방할 수 있습니다.

이러한 챗GPT를 활용한 중독 예방 루틴은 디지털 환경에서의 건강한 습관 형성에 도움을 주며, 가족 구성원 간의 소통과 협력을 높일 수 있는 효과적인 전략입니다. 이를 통해 가족은 더 건강하고 지속 가능한 미디어 사용 습관을 형성할 수 있습니다.

T - Training (트레이닝) : 문해력 강화

문해력은 디지털 시대에서 더욱 중요한 능력 중 하나로 떠오르고 있습니다. 이를 효과적으로 강화하기 위해 챗GPT와 함께하는 트레이닝은 매우 유용한 방법입니다.

1. 대화를 통한 미디어 리터러시 교육의 효과

챗GPT와의 대화를 통해 가족 구성원들은 실제 상황에서 발생할 수 있는 다양한 미디어 상황에 대해 대화하고 학습할 수 있습니다. 이는 문해력을 향상시키는 데에 기여하며, 가족 간의 소통을 촉진합니다.

2. 비평적 사고와 문해력 향상을 위한 훈련

챗GPT는 다양한 미디어 메시지에 대한 비평적 사고를 돕는 훌륭한 트레이너입니다. 함께 상상력을 발휘하고, 미디어의 숨은 의미와 목적을 파악하는 훈련을 통해 문해력을 강화할 수 있습니다.

3. 실생활 예시를 활용한 훈련

챗GPT는 실생활 예시를 활용한 훈련에도 탁월한 도움을 줍니다. 다양한 상황에서 어떻게 문해력을 활용할 수 있는지 챗GPT와 함께 토론하면서 실제 상황에서의 문해력을 높일 수 있습니다.

4. 다양한 미디어 형식에 대한 이해 강화

챗GPT는 텍스트뿐만 아니라 이미지, 오디오 등 다양한 형식의 미디어에 대한 이해를 향상시키는 데에도 도움을 줍니다. 가족 구성원들은 다양한 미디어 형식에서 정보를 추출하고 이를 문해력 있는 방식으로 해석하는 데 트레이닝을 받을 수 있습니다.

5. 퀴즈와 퍼즐을 활용한 게임식 트레이닝

챗GPT를 활용하여 가족 구성원들과 미디어 관련 퀴즈 및 퍼즐 게임을 진행하는 것은 재미와 학습의 결합입니다. 게임을 통해 문해력을 향상시키는 동시에 가족 간의 유쾌한 경쟁을 통해 학습의 즐거움을 느낄 수 있습니다.

챗GPT와 함께하는 트레이닝은 미디어 리터러시를 높이는 데에 효과적인 방법으로, 가족 구성원들은 더 나은 문해력을 갖추고 미디어를 더욱 효과적으로 다룰 수 있을 것입니다. 그리고 트레이닝은 다양한 측면에서 문해력 강화에 기여할 수 있습니다. 먼저, 실제 대화를 통한 훈련을 통해 사용자는 언어 이해력과 의사소통 능력을 향상시킬 수 있습니다. 챗GPT는 다양한 주제에 대한 대화를 모방하면서 사용자에게 실제적인 상황에서 어떻게 응답해야 하는지에 대한 경험을 제공합니다. 비평적 사고 향상도 중요한 측면입니다. 챗GPT는 다양한 의견과 시각을 제시하므로 사용자들은 비평적 사고를 키우고 다양한 관점을 이해하는 훈련을 할 수 있습니다. 이는 미디어 메시지를 비판적으로 평가하고 분석하는데 도움이 됩니다. 또한, 트레이닝을 통해 사용자는 실제 상황에 대한 모의 대화를 진행하며 미디어 메시지나 상황에 대한 효과적인 응답을 연습할 수 있습니다. 게임식 학습은 학습을 게임적이고 재미있게 만들어 문해력 향상에 도움을 줄 뿐만 아니라 사용자에게 학습에 대한 동기부여를 높여줍니다. 더불어, 챗GPT는 텍스트, 이미지, 오디오 등 다양한 형식의 미디어에 대한 이해를 향상시킬 수 있습니다. 사용자는 다양한 미디어 형식에서 정보를 추출하고 이를 효과적으로 해석하는 데에 트레이닝이 가능 합니다.

챗GPT 통한 미디어 리터러시 교육의 효과

챗GPT를 통한 미디어 리터러시 교육의 효과에 대해 살펴보도록 하겠습니다. 첫째, 교육 대상자의 흥미와 참여도를 높이는 효과를 가져올 수 있습니다. 챗GPT는 대화형 AI 기술을 사용하여 사용자와 자연스러운 대화를 나눌 수 있기 때문입니다. 따라서, 챗GPT를 활용한 교육은 교육 대상자가 흥미를 가지고 참여할 수 있습니다. 교육 대상자는 챗GPT와 대화를 통해 미디어 리터러시의 개념과 중요성을 보다 쉽게 이해하고, 미디어를 비판적으로 이해하고 활용하는 방법을 습득할 수 있습니다.

둘째, 교육 대상자의 개별적인 수준과 이해도에 맞게 교육을 진행하는 효과를 가져올 수 있습니다. 챗GPT는 교육 대상자의 질문에 대한 응답을 통해 교육 대상자의 개별적인 수준과 이해도를 파악할 수 있기 때문입니다. 이를 바탕으로 교육 대상자 수준에 맞는 교육을 진행할 수 있습니다. 교육 대상자는 자신의 수준에 맞는 교육을 통해 미디어 리터러시 능력을 보다 효율적으로 향상시킬 수 있습니다. 마지막으로 교육 대상자가 미디어 리터러시의 중요성과 필요성을 보다 쉽게 이해하는 효과를 가져올 수 있습니다. 챗GPT는 미디어 리터러시의 개념과 중요성을 설명하는 데 있어 쉽고 이해하기 쉬운 언어를 사용하기 때문입니다. 또한, 교육 대상자가 이해하기 어려운 개념이나 내용에 대해서는 다양한 예시와 설명을 통해 이해를 돕기 때문입니다. 이를 통해 교육 대상자는 미디어 리터러시의 중요성과 필요성을 보다 쉽게 이해할 수 있습니다.

하지만 챗GPT를 통한 미디어 리터러시 교육은 다음과 같은 한계 역시 가지고 있습니다. 한계와 개선 방안에 대해 이야기 해보도록 하겠습니다. 한계로는 첫째, 챗GPT의 한계에 따라 교육의 내용과 수준이 제한될 수 있는 한계를 가지고 있습니다. 챗GPT는 아직 개발 중인 기술이기 때문에, 완벽하지 않습니다. 따라서, 챗GPT를 활용한 교육의 내용과 수준이 제한될 수 있습니다. 또한, 챗GPT의 한계로 인해 교육 대상자의 개별적인 수준과 이해도에 맞는 교육을 진행하는 데 어려움이 있을 수 있습니다. 그리고 교육 대상자의 능동적인 참여가 필요한 한계를 가지고 있습니다. 교육 대상자가 챗GPT와 대화를 통해 능동적으로 학습하지 않으면, 교육 효과를 기대하기 어렵습니다. 이렇기 때문에 개선 방안도 매우 중요한 요소입니다. 우선, 챗GPT의 정확성과 신뢰성을 향상시키는 방안을 마련해야 합니다.

챗GPT의 정확성과 신뢰성을 향상시키기 위해서는 챗GPT가 보다 많은 데이터를 학습하고, 다양한 예시를 제공할 수 있도록 해야 합니다. 교육 대상자의 개별적인 수준과 이해도에 맞는 교육을 지원하는 방안을 마련해야 합니다. 교육 대상자의 개별적인 수준과 이해도에 맞는 교육을 지원하기 위해서는 챗GPT가 교육 대상자의 질문에 대한 응답을 통해 교육 대상자의 수준과 이해도를 파악할 수 있도록 해야 합니다. 또한, 챗GPT가 교육 대상자의 수준에 맞는 교육 자료를 제공할 수 있도록 교육 대상자의 능동적인 참여를 유도하는 방안을 마련해야 합니다. 챗GPT가 교육 대상자를 흥미롭게 하고, 참여할 수 있는 기회를 제공할 수 있도록 해야 합니다. 또한, 교육 대상자의 학습 과정을 체계적으로 관리하고, 피드백을 제공할 수 있도록 해야 합니다. 이러한 방안을 통해 챗GPT를 통한 미디어 리터러시 교육의 효과를 더욱 높일 수 있을 것입니다.

비평적 사고와 문해력 향상을 위한 훈련 방법

비평적 사고와 문해력은 현대 사회에서 필수적인 역량입니다. 비평적 사고는 정보를 객관적으로 분석하고 평가하는 능력이고, 문해력은 정보를 이해하고 활용하는 능력입니다. 비평적 사고와 문해력을 향상시키면 얻게 되는 효과로는 정보를 보다 정확하고 객관적으로 이해할 수 있으며, 문제를 해결하고 의사결정을 내릴 때 보다 합리적인 판단을 할 수 있습니다. 그리고 새로운 지식을 습득하고 창의적인 사고를 할 수 있습니다. 비평적 사고와 문해력을 향상시키기 위해서는 다음과 같은 훈련 방법을 실천해 볼 수 있습니다.

1. 질문하기

비평적 사고를 위해서는 정보를 객관적으로 바라보고, 다양한 관점에서 생각할 수 있어야 합니다. 이를 위해서는 질문을 통해 정보를 깊이 있게 이해하고 분석하는 연습을 해야 합니다. 질문을 할 때는 다음과 같은 사항을 고려해 볼 수 있습니다.

정보의 근거는 무엇입니까?

정보의 목적은 무엇입니까?

정보의 편향성이나 왜곡은 없는지요?

정보를 다른 관점에서 바라보면 어떤 의미가 있을까요?

2. 다양한 관점의 정보를 접하기

비평적 사고를 위해서는 다양한 관점의 정보를 접하고, 이를 종합적으로 판단할 수 있어야 합니다. 이를 위해서는 다음과 같은 방법을 시도해 볼 수 있습니다.

다양한 매체를 통해 정보를 접한다.

다른 사람의 의견을 경청한다.

자기 자신과 다른 사람의 관점을 비교한다.

3. 정보를 비판적으로 분석하기

비평적 사고를 위해서는 정보를 비판적으로 분석하고 평가할 수 있어야 합니다. 이를 위해서는 다음과 같은 방법을 시도해 볼 수 있습니다.

정보의 출처와 신뢰성을 확인한다.

정보의 내용을 객관적으로 평가한다.

정보의 논리적 타당성을 검토한다.

정보의 윤리적 함의를 고려한다.

4. 정보를 창의적으로 활용하기

비평적 사고를 위해서는 정보를 창의적으로 활용할 수 있어야 합니다. 이를 위해서는 다음과 같은 방법을 시도해 볼 수 있습니다.

정보를 새로운 시각으로 바라본다.

정보를 새로운 방식으로 활용한다.

정보를 바탕으로 새로운 아이디어를 도출한다.

비평적 사고와 문해력은 하루아침에 향상되지 않습니다. 꾸준한 노력과 훈련을 통해 향상시킬 수 있습니다. 위에서 소개한 방법을 참고하여, 자신에게 맞는 방법을 선택하여 실천해 보시기 바랍니다.

08
디지털 문해력 향상을 위한 챗GPT와 함께 하는 활동 놀이 추천

1. 디지털 독서 모임

가족 또는 친구들과 디지털 독서 모임을 만들어 보세요.

각자 즐겨 읽는 책을 선정하고, 읽은 후 서로에게 내용을 나누는 시간을 가집니다.

챗GPT를 활용하여 모임에서 나온 질문이나 토론 주제를 확장 시켜보세요.

놀이 설명 : 디지털 독서 모임은 가족이나 친구들과 함께 읽은 내용에 대해 이야기를 나누는 소중한 시간을 만들어줍니다. 각자의 관점과 생각을 공유하면서, 다양한 의견을 듣고 존중하는 경험을 할 수 있습니다. 챗GPT를 활용하여 모임에서 나온 주제를 더 확장 시키면서 새로운 관점을 찾을 수 있습니다.

2. 미디어 분석 게임

가족이나 친구들과 함께 미디어 분석 게임을 만들어보세요.

TV 프로그램, 광고, 뉴스 등을 시청한 후, 그 내용에 대한 토론이나 분석을 즐겁게 해보세요.

챗GPT를 활용하여 추가적인 정보나 다양한 관점을 소개해볼 수 있습니다.

놀이 설명 : 미디어 분석 게임은 미디어에 대한 비판적 사고를 기르는 데 도움이 됩니다. 가족이나 친구들과 함께 즐겁게 게임을 즐기면서 동시에 미디어의 다양한 측면을 파악할 수 있습니다. 챗GPT를 통해 게임을 더 풍부하게 만들 수 있습니다.

3. 가상 독서 모임

온라인 독서 모임을 만들어 챗GPT와 함께 참여해보세요.

챗GPT에게 책의 내용에 대한 질문을 하거나, 자신의 생각을 나누어 보세요.

다양한 의견과 정보를 얻을 수 있어 문해력이 향상됩니다.

놀이 설명 : 가상 독서 모임은 온라인 플랫폼을 통해 다양한 사람들과 소통하는 기회를 제공합니다. 다양한 의견을 접하면서 넓은 시야를 가질 수 있으며, 챗GPT를 활용하여 논의를 더 깊이 있게 진행할 수 있습니다.

4. 뉴스 캐스팅 체험

뉴스 캐스터가 되어 가족 앞에서 뉴스를 전하는 시간을 가지세요.

뉴스를 선별하고, 그 내용을 챗GPT와 함께 논의해보며 진행해 보세요.

토론의 흐름을 잘 이끌어가며 뉴스에 대한 깊은 이해를 기를 수 있습니다.

놀이 설명 : 뉴스 캐스팅 체험은 자신의 의견을 명확하게 전달하고 토론하는 능력을 기를 수 있는 기회입니다. 가상의 뉴스 캐스터로서 의 경험을 통해 뉴스를 더 효과적으로 이해하고, 챗GPT를 활용하여 추가적인 정보를 제공받을 수 있습니다.

5. 퀴즈 놀이

뉴스 기사를 제공하고, 기사의 요약을 묻는 퀴즈를 만들어 보세요.

책의 내용을 제공하고, 책의 주제와 메시지를 묻는 퀴즈를 만들어 보세요.

논문의 내용을 제공하고, 논문의 결론을 묻는 퀴즈를 만들어 보세요.

놀이 설명 : 챗GPT와 함께 퀴즈 놀이를 하면 문해력의 핵심 요

소인 이해력과 비판적 사고력을 향상시킬 수 있습니다. 뉴스 기사, 책, 논문 등 다양한 정보를 챗GPT에게 제공하고, 챗GPT가 제공하는 정보를 바탕으로 퀴즈를 만들어 보세요. 챗GPT는 사용자가 제공한 정보를 이해하고, 이를 바탕으로 논리적인 답변을 제공할 수 있습니다. 따라서, 챗GPT의 답변을 분석하고 평가하는 과정을 통해 문해력을 향상시킬 수 있습니다.

6. 토론 놀이

사회적 이슈에 대해 챗GPT와 토론을 해보세요.

책이나 영화에 대해 챗GPT와 토론을 해보세요.

자신의 관심 분야에 대해 챗GPT와 토론을 해보세요.

놀이 설명 : 챗GPT와 함께 토론 놀이를 하면 문해력의 핵심 요소인 논리적 사고력과 표현력을 향상시킬 수 있습니다. 다양한 주제에 대해 챗GPT와 토론을 하면서 자신의 생각을 논리적으로 전달하는 연습을 해보세요. 챗GPT는 다양한 관점에서 토론에 참여할 수 있기 때문에, 다양한 의견을 접하고 자신의 생각을 확장하는 데 도움이 될 수 있습니다.

7. 창작 놀이

챗GPT를 활용하여 동화책 이야기를 만들어 보세요.

챗GPT를 활용하여 시를 써 보세요.

챗GPT를 활용하여 코드를 작성해 보세요.

놀이 설명 : 챗GPT를 활용하여 이야기를 만들거나, 시를 쓰거나, 코드를 작성하는 등의 창작 활동을 해보세요. 챗GPT는 다양한 아이디어를 제공할 수 있기 때문에, 창의적인 표현력을 개발하는 데 도움이 될 수 있습니다.

<챗GPT와 함께 놀이를 할 때 고려 할 사항>

놀이의 목적을 명확히 설정하세요. 어떤 문해력 요소를 향상시키고 싶은지 생각하고, 그에 맞는 놀이를 선택하세요.

놀이를 너무 어렵게 만들지 마세요. 놀이에 흥미를 잃지 않도록, 너무 어려운 놀이는 피하세요.

놀이를 규칙대로 하되, 창의성을 발휘할 수 있도록 유도하세요. 놀이의 규칙을 지키면서도, 자신의 생각과 아이디어를 자유롭게 표현할 수 있도록 하세요.

챗GPT는 모든 놀이의 한 요소 일 뿐, 정답이라고 생각하면 안 된다는 것을 잊지 마세요.

놀이를 중단하고 싶을 때는 누구든지 중단 의사를 밝힐 수 있습니다.

09
결론

챗GPT를 활용한 대화형 미디어 리터러시 교육의 가능성과 적용점에 대해 탐구하는데 목적을 두고 책을 만들게 되었습니다. 우리는 챗GPT가 장점을 가지고 있다고 보았습니다. 미디어를 활용 하는 역할로써 흥미와 참여도를 높이는 효과를 가져올 수 있습니다. 챗GPT는 대화형 AI 기술을 사용하여 사용자와 자연스러운 대화를 나눌 수 있기 때문입니다. 따라서, 챗GPT를 활용한 교육은 교육받는 분이 흥미를 가지고 참여할 수 있습니다. 또한 개별적인 수준과 이해도에 맞게 교육을 진행하는 효과를 가져올 수 있습니다. 챗GPT는 사용자의 질문에 대한 응답을 통해 교육받는 분의 수준과 이해도를 파악할 수 있기 때문입니다. 이를 바탕으로 교육받는 분 수준에 맞는 교육을 진행할 수 있습니다. 미디어 리터러시의 중요성과 필요성을 보다 쉽게 이해하는 효과를 가져올 수 있습니다. 챗GPT는 미디어 리터러시의 개념과 중요성을 설명하는 데 있어 쉽고 이해하기 쉬운 언어를 사용하기 때문입니다. 또한, 교육받는 분이 이해하기 어려운 개념이나 내용에 대해서는 다양한 예시와 설명을 통해 이해를 돕기 때문입니다.

그러나 챗GPT를 통한 대화형 미디어 리터러시 교육에는 한계도 있음을 알고 있습니다. 챗GPT는 아직 개발 중인 기술이기 때문에, 완벽하지 않습니다. 따라서, 챗GPT를 활용한 교육의 내용과 수준이 제한될 수 있습니다. 또한, 챗GPT의 한계로 인해 개별적인 수준과 이해도에 맞는 교육을 진행하는 데 어려움이 있을 수 있습니다. 사용자의 능동적인 참여가 필요한 한계를 가지고 있습니다. 챗GPT를 통한 교육은 참여자의 능동적인 참여가 필요합니다. 참여자가 챗GPT와 대화를 통해 능동적으로 학습하지 않으면, 교육 효과를 기대하기 어렵습니다. 이러한 한계를 개선하기 위해서 몇가지 개선 방안에 대해 이야기 하자면 챗GPT의 정확성과 신뢰성을 향상시키는 방안을 마련해야 합니다. 챗GPT의 정확성과 신뢰성을 향상시키기 위해서는 챗GPT가 보다 많은 데이터를 학습하고, 다양한 예시를 제공할 수 있도록 해야 합니다. 개별적인 수준과 이해도에 맞는 교육을 지원하는 방안을 마련해야 합니다. 개별적인 수준과 이해도에 맞는 교육을 지원하기 위해서는 챗GPT가 교육받는 분의 질문에 대한 응답을 통해 사용자 수준과 이해도를 파악할 수 있도록 해야 합니다. 또한, 챗GPT가 교육받는 분의 수준에 맞는 교육 자료를 제공할 수 있도록 해야 합니다. 사용자의 능동적인 참여를 유도하는 방안을 마련해야 합니다. 교육을 진행하며 능동적인 참여를 유도하기 위해서는 교육자체를 흥미롭게 하고, 참여할 수 있는 기회를 제공할 수 있도록 해야 합니다. 또한, 학습과정을 체계적으로 관리하고, 피드백을 제공할 수 있도록 해야 합니다. 이러한 방안을 통해 챗GPT를 통한 대화형 미디어 리터러시 교육의 효과를 더욱 높일 수 있을 것입니다.

챗GPT는 대화형 AI 기술을 활용한 첨단 기술입니다. 챗GPT를 활용한 대화형 미디어 리터러시 교육은 기존의 교육 방식과는 차별화된 장점을 가지고 있습니다. 챗GPT를 활용한 대화형 미디어 리터러시 교육이 더욱 발전하여, 모든 사람이 미디어 리터러시 역량을 갖출 수 있도록 하는 데 기여하기를 기대합니다. 디지털 혁명의 도래에 기술 발전은 우리에게 편리함을 제공하지만, 동시에 디지털 기기 사용의 부작용으로 디지털 도파민 중독과 같은 새로운 문제를 야기하고 있습니다. 이러한 디지털 중독 문제를 해결하고, 건강하게 디지털 기기를 활용하기 위한 방안을 제시하고자 합니다. 그 방안의 핵심은 '미디어 리터러시'에 있습니다. 미디어 리터러시란 미디어에 담긴 메시지를 이해하고, 비평적으로 분석하며, 적절하게 활용할 수 있는 능력을 의미합니다. 이는 디지털 중독을 예방하고, 책임 있는 미디어 활용을 가능하게 하는 핵심 역량입니다. 따라서 미디어 리터러시 교육은 누구나 받아야 할 필수 교육이며, 이를 위해 우리 모두가 노력해야 합니다. 그러나 미디어 리터러시 교육은 전문가만이 수행할 수 있는 것이 아닙니다. 일상 생활 속에서도 누구나 쉽게 미디어 리터러시 교육을 실천할 수 있습니다. 이 책에서는 그 방법 중 하나로 챗GPT를 활용한 미디어 리터러시 교육을 제안하고 있습니다.

챗GPT는 고도로 발달한 인공지능 대화 시스템입니다. 이를 활용하면, 누구나 쉽게 미디어 리터러시 교육을 실시할 수 있습니다. 이 책에서는 챗GPT를 활용한 다양한 교육 방법을 제시하고 있습니다. 이를 통해 학습자는 미디어 메시지를 이해하고, 비평적으로 분석하며, 적절하게 활용하는 능력을 향상시킬 수 있습니다. 더욱이, 이 책에서는 챗GPT를 활용한 교육이 단순히 학습자의 미디어 리터러시 향상에 그치지 않는다는 것을 주장하고 있습니다. 챗GPT를 활용한 교육은 학습자가 미디어 리터러시를 향상시키는 과정에서, 미디어 메시지에 대한 깊이 있는 이해와 비평적 사고, 그리고 적절한 미디어 활용 방법을 배우는 것을 넘어서, 학습자의 창의성과 표현력, 그리고 논리적 사고력 등을 키우는 데에도 큰 도움이 됩니다.

최종적으로, 이 책은 디지털 시대의 도전을 극복하고, 건강하게 미디어를 활용하기 위한 방안을 제시하고자 했습니다. 미디어 리터러시 교육은 우리 모두의 참여와 노력을 필요로 합니다. 이 책을 통해 그 방법을 배워가며 그리고 그 방법을 실천해 나가는 것이 바로 우리 모두의 미래를 위한 첫걸음이 될 것입니다. 이 책의 목표는 디지털 시대의 문제를 인식하고, 그 해결책을 찾는 데 도움이 되는 것입니다. 이를 통해 우리는 건강한 디지털 생활을 실현하고, 미래 세대에게 더 나은 미디어 환경을 제공할 수 있을 것입니다. 이러한 노력이 계속되어야 합니디.